言葉の舟

心に響く140字小説の作り方

ほしおさなえ

集英社

星が空にまたたき、町が寝しずまったら、
言葉の舟を空に浮かべる。
人に聞かれたら壊れてしまいそうな言葉をのせる。
だれも責めない、子どものころの夢のような、
脆い砂糖菓子のような言葉をのせる。
力のない、役に立たない、
でも、僕にとっていつわりがないと思える言葉を。
そのためだけに生きている。

CONTENTS

第2章　書いてみよう　基礎編

第3章 書いてみよう 実践編

はじめに　おはなし作りは自分の心を旅すること

わたしは10年ほど前からツイッター（現X）というSNSで１４０字小説というものを発表し続けています。最初のおはなしを投稿したのは、２０１２年8月29日のこと。それから800編以上の１４０字小説を発表してきましたが、「これから１４０字小説を書いていくぞ！」と決心して書きはじめたわけではありませんでした。

はじめての１４０字小説は、次のようなものでした。作品の右にある数字は作品番号です。

1

海のなかの町に行った。海沿いにあるさびれた遊園地の裏の狭いガードを抜けると、水中に商店街が続いている。古いボタン屋に貝のボタンが並んでいた。全部この海で取れた貝ですよ、と店のおばあさんが言った。ボタンを三つ買って地上に戻った。どこかから海の匂いがして、まだ海のなかにいる気がした。

作品を１４０字ぴったりにおさめたかったので、作品のひとつ前に「１４０字小説その１」、作品の次に「おしまい。」という投稿を入れました。ツイッターは日常の出来事をつぶやく場所ですから、それがフィクションであるとわかるようにしたほうがいいと思ったのです。

書いたときは「その２」や「その３」もすぐに思いつく気がする、もしかしたら７や８、10くらいまで行くかも、でも、そのあたりで終わるだろうと思っていたのです。

ツイッターに登録したのは、その２年前の２０１０年。あまり投稿することもなく、無口なアカウントでした。とくに書くこともなく、ぼんやりと人の投稿をながめているだけでした。

２０１１年に東日本大震災が起こったあとは、さらに無口になりました。なにを言っても不用意な言葉になってしまう気がして、なにも書けなくなってしまったのです。その状態は長く続いたのですが、震災から一年半近く経《た》って、急にこの「その１」が頭に浮かびました。近所の町（京浜東北線の大森駅近辺）をひとりで自転車で走っているときだったと思います。

大森のあたりはいまは埋め立てられて住宅街が広がっていますが、むかしは京浜東北線のすぐ近くまで海だったといいます。そのせいか、いまでも雨の日などはなんとなく海のような匂いがします。自転車で線路沿いを走っていると、線路の下のガードをくぐればすぐ海に行けるような気がしました。ボタン屋さんというのも、大森の商店街のなかにボタンがたくさん売られている古い店があって、その風景が混ざってひとつの話になっていったのだと思います。

おはなしがするっと生まれ、書き留めてみるとほぼ140字。それで、ツイッターにあげてみようかと思いつきました。投稿したときは、ひとりごとを海に流すような気持ちでしたが、反応してくれた人が何人かいて、少しほっとしたのをよく覚えています。

それから「その2」、「その3」と続き、10まで行っても、20まで行っても、ネタが尽きることもなく日々書き続け、決まって読んでくれる人や、リプライで感想をつけてくれる人も出てきました。そうして100まで行ったところで、おはなしを活版印刷のカードにする活動をはじめました（本書第4章参照）。

40代から50代にかけて書いてきたことになりますが、1から順番に作品を見ていくと、はじめたころの自分とはずいぶん変わったと感じます。子どものころは、人間、成長するのは20歳くらいまで、そのあとは長く変化のない「大人」という時代が続くのだと思っていましたが、40になっても、50になっても、人は少しずつ変わっていくものだと知りました。

この10年、さまざまな出会いもありましたが、失うものも多くありました。文筆家であった父（筆名・小鷹信光）がガンで余命宣告を受けたのは2015年春のこと。余命は半年程度。医師にそう言われ、結局その年末に亡くなりました。

人はみないつかはこの世を去ります。それでも、自分が生まれたときからずっとあたりまえのように近くにいた人がこの世から消えてなくなることがどうしても飲みこめず、その日が来ることにおびえる日々が続きました。

夜のあいだに連絡が来るかもしれないと思い、眠るときも着信音をオフにすることができず、朝起きると、大丈夫だった、なにもなかった、と安心する。しかし、その晩なにも起こらなくても、そこから逃れられるわけではないのです。その日はいつか必ずやってくる。

そうしたなかで、140字小説を書くことで心を整えようとしていた気がします。人の死を乗り越えることなどはできない。人にできるのは受け止めるということだけ。書くことによって、そうしたことを少しずつ飲みこんでいっていたのかもしれません。

父が亡くなる前、週に一、二度実家に通い、父の仕事の手伝いをしていました。わたしにできることはかぎられていましたが、父に頼まれた作業をし、昼は父と母と食事をとりました。

食事の席でむかしの思い出を語り合ったりするうちに、そのような日々の最中なのに、みな自然と笑っていることに気づきました。残り少ない日々ではあるけれど、いや、残り少ないからこそ、笑うことはとても大事なことに思えました。

「活版印刷三日月堂」シリーズの一冊目を書いていたのも、ちょうどそのころのことでした。父の余命宣告の直後にポプラ社からの執筆依頼があり、活版印刷をテーマに書こうと決めました。わたし自身が１４０字小説を活版印刷のカードにする活動を続けていたこともありますが、生涯本に携わる仕事をしてきた父について考えていたということも大きかったのです。

ペーパーバックや雑誌のコレクターでもあった父の部屋には膨大な本があり、その多くが一九七〇年代までにアメリカで刊行されたペーパーバックでした。ざらっとした紙に活字で印刷された本が本棚にぎっしり詰まって、本でできた壁のようでした。

活版印刷も消えつつある時代。その名残をとどめるために「活版印刷三日月堂」を書きました。最後の四章を書いている最中に父は亡くなり、できあがった本を見せることはできなかったのですが。

父が亡くなったあと、子どものころ暮らしていたその家も処分しました。いろいろなものを失っていくなかで、生きているうちに伝えたいことを書き記そう、という気持ちが高まっていきました。

これまで書いてきた１４０字小説には、この10年のわたしの変化がくっきりと残っています。わたしにとっては大切な「心の記録」です。と同時に、自分の言葉を鍛える場でもありました。

２０１８年、作品が７００編になったとき、ツイッターに次のようなことを書きました。

その1の「海のなかの町に行った」は、海のなかの町に行って貝でできたボタンを買って地上に戻ってくる話だけど、海のなかの町はたぶん震災で沈んだ場所のこと。貝は人の骨のこと。今になってわかった。700全部、日記というか、そのときどきの心の欠片《かけら》のようなものなんだと思う。

ふつうのつぶやきではなく、物語だったからこそ書けたこともたくさんありました。物語には不思議な力があるのです。民話やむかしばなしが時を超えて語り継がれてきたのも、物語の力によるものなのかもしれません。

この本では、わたし自身やほかの人たちの140字小説を紹介しながら、140字小説の読み方と書き方についてお話ししていきたいと思います。

第1章　読んでみよう

1　思いを言葉に

思いを言葉にする。

それはつまり「考える」ことそのものとも言えます。日々を過ごすなかで、老若男女を問わずだれもがしていることではありますが、実はなかなかむずかしく、「完璧にできた！」と感じることは稀《まれ》なのではないでしょうか。

人との会話であれば、自分の思いがうまく伝わらず、「そういうつもりで言ったんじゃなかったのに……」と後悔したり、感じたこと、思ったことはたくさんあったはずなのに、文章にしてみると通りいっぺんの話になってしまったり。

わたしは大学で小説創作の授業を受け持っているのですが、ときどき学生から「いい小説を書くためには語彙を増やさないとダメなんでしょうか」と訊《き》かれることがあります。たしかに知っている言葉が多くなれば、もっといろいろなことが書けるようになる気がします。

でも、ほんとうにそうでしょうか。自分の書いたものがまだまだ、と感じている人たちも、作家の書いた小説を読むことはできますよね。読むときに全部辞書を引かないとわからない、というようなこともないんじゃないでしょうか。

つまり、そこに書かれている言葉をほとんど知っているということ。語彙はじゅうぶんにあるということなのです。でも、作家の文章のようには書けない。不思議なことです。知っている言葉の量ではなく、そのひとつひとつの意味をじゅうぶんに知っているか、使いこなせているか、ということが大事なのかもしれません。

世の中で素晴らしいと言われている文章には、どこか新鮮な輝きがあるように思います。自分もこんなことを感じたことがあった気がするけれど、いままで言葉として見たり聞いたりしたことがなかった、と思えるような輝きです。

知っている言葉だけでできていても、その組み合わせやつながりにはっとするような新鮮さがある。詩や短歌や俳句を読むと、どうしてこの言葉がこうつながるんだ、と驚くことがよくあります。小説の場合も、人の心をつかむ文章はそういう飛躍を持っているようです。

武田百合子の『ことばの食卓』というエッセイ集の最初に、「枇杷《びわ》」という作品が載っています。ほんの3ページほどの短い文章で、描かれているのもほんの数分の出来事です。枇杷を食べている妻のところに夫がやってきて、いっしょに枇杷を食べる。

「こういう味のものが、丁度いま食べたかったんだ。それが何だかわからなくて、うろうろと落ちつかなかった。枇杷だったんだなあ」

食べ終わった夫がそう言います。夫である武田泰淳のもう晩年の出来事だったのでしょう。夫の死後に書かれたこのエッセイのなかで、百合子は「どうということもない思い出なのに――。丁度食べたかったものを食べていたりすると、梅雨晴れの午後のその食卓に私は坐《すわ》っています」と書きます。夫の手を思い出す描写のあと、「向い合って食べていた人は、見ることも聴くことも触ることもできない『物』となって消え失《う》せ、私だけ残って食べ続けているのですが――納得がいかず、ふと、あたりを見まわしてしまう」と続きます。

枇杷を食べていた、五感を使って味わっていた、そういう人がやがて「物」となり、いまはどこにもいない。妻はその不思議を見つめ、「ひょっとしたらあのとき、枇杷を食べていたのだけれど、あの人の指と手も食べてしまったのかな」と書くのです。ここには見たことのない言葉などどこにもありません。でもすべてが的確で、動かしようがない、と感じます。

学生のなかには、「小説を書くためには人生経験がないとダメでしょうか」と訊く人もいます。知っていることのほうが書きやすいのはたしかです。自分がそれまで体験してきたことは細かいところまでわかりますが、知らないこと、経験したことがないことを書こうとすると、細かい部分を思い浮かべることができず、言葉にすることがむずかしくなってしまいます。

でも、体験したからといってすべてを書けるわけでもないですよね。大切なのは、自分がそのとき感じたことをどれだけしっかりと言葉にできるか、ということなのではないでしょうか。枇杷を食べるというような小さな出来事でも、人はだれでもほんとうは、自分だけのなにかを感じています。でも、そこに「おいしかった」「うれしかった」「さびしい」などの便利な言葉を使ってしまうと、それで納得して、考えが流れていってしまいます。

日常のなかで感じることがあったら、少し立ち止まって、その気持ちの正体をじっくり探ってみる。探るためには「思いを言葉にする」ことがとても大事です。

気持ちというのは、ふわふわとした形のないものです。ずっととっておくことができません。言葉にするというのは、それにしっかりした形を与えるということです。

人とちがうことなんて思いつかない。そう感じる人もいるかもしれません。でも、一度しっかり向き合ってみると、その気持ちは世の中に広まっている通りいっぺんの言葉だけでは言い表せない、と気づくこともあるでしょう。ぴったりくるものが見つかったら、それがその人のつかんだその人だけの言葉なのだと思います。

では、そういう言葉を見つけるためにはどうしたらいいのでしょう？　大事なのは、語彙を増やすことでも、経験を増やすことでもなく、その言葉を探す練習を重ねることです。考えるだけでなく、言葉として書き留める。短いおはなしを書くことは、その練習にもなります。

短いとはいえ、小説となれば、ストーリーがないといけないんじゃないか、それはむずかしそう、と感じる人もいるかもしれません。でも、わたしは、日常のちょっとした気づきでも、形を整えていけば小説になる、と考えています。特別な話でなくてもいいのです。

わたしが以前に書いた140字小説を見てみます。

57

あの日あなたは、春の匂いがする、と言った。ふわっと土と木の芽と花の匂いがした。ふだん仕事の話ばかりで植物など見ない人なので、わたしはうれしくて、うれしすぎてどうしたらいいかわからずうつむいていた。川沿いの道。とてもしあわせだった。些細《ささい》で、あなたは忘れてしまったかもしれないけれど。

103

むかし住んでいた家の近くにコインランドリーがあった。薄曇りの日にはいつも同じ男が隅の椅子に座って、ぐるぐる回る洗濯機を眺めていた。引っ越して十年。今でも薄曇りの日にコインランドリーを見ると、男の残像が浮かび上がる。彼がなにを見ていたのかわからないまま、ぽっかりと空いた影のように。

2編とも、日常で見たことや感じたことをそのまま書いたものです。

作品番号57は「春の匂い」というものにポイントがあります。春先になると漂ってくる、なんともいえない匂い。ひとりで感じているときは素通りしてしまうのに、だれかが口にすることで、お互いの感覚が一瞬つながったように感じられます。うれしくて、でもうれしすぎてどう反応したらいいかわからない。そうした思い出を切り取ったおはなしです。

103も実際に見た風景をそのまま文章にしました。コインランドリーの椅子に座っていた男性の空虚な表情の印象が強く、いつまでも心に残っている。その人が抱えていたものがなにかはわからないまま。人生というのは、そうしたわからなさに満ちているように思います。

どちらもはっきりと言葉にならない気持ちを記したものですが、こうして記したことで、そのとき感じたふわふわした煙のような思いが形を持ちます。それを読み返すことで考えが深まることもあるでしょう。人に伝えることで気持ちを共有することもできるでしょう。

それだけでも、文章を書く意味はあるのです。書くことを積み重ねていくことで、世界を見る自分なりの目が養われ、言葉で表現する力が身についてくるのではないかと思います。

2 物語を書くこと

前項では思いを言葉にすることについてお話ししました。この項では、その言葉を物語の形にしていくことについて考えていきたいと思います。

オチが見事な作品、小噺《こばなし》のような作品。恋愛の一コマ。ミステリー、SF、ホラー、寓話《ぐうわ》など、世の中にはさまざまなジャンルの140字小説が存在し、話題になっている本もあります。創作好きの方なら、すでに何度も140字小説を書いたことがあるかもしれません。

でも、この本の読者のなかには、そうでない人もたくさんいるのではないかと思います。自分でもなにか書いてみたいけれど、物語なんて思いつかない、自分が書きたいのは筋書きのある物語ではなく、もっと形のない、とらえどころのないもののような気がする、などなど。

最近は、SNSという場に適した短文がずいぶん発達したように思います。ひとりごとのような、不特定のだれかに語りかけるような独特の文章です。ツイッターではもともと「投稿」を「つぶやき」と呼んでいましたが、まさに「つぶやき」です。そこからほかの人との会話がはじまって話題が発展していったり、予期せぬ場所に拡散されていったりもします。こんなことはインターネットの発達以前には起こらなかったことでしょう。

この「つぶやき」というスタイルはたしかに便利で、万能に思えます。でも、日々生きているなかで、その「つぶやき」の形におさまらないなにかを思いつくことがあるでしょう。意見として表明するほどのことじゃない。どう表現すればいいのかわからない。そんなふうに感じて言葉を打ちこむのをやめ、飲みこんでしまうこともあるでしょう。

物語には、そうした名づけようのない気持ちを入れる「箱」のような働きがあります。日常のなかで、ぼんやり雲を見あげて、子どものころのことを思い出す。それをそのまま書くと、知り合いから「どうしちゃったの？　大丈夫？」と笑われてしまうかもしれない。でも、詩や短歌や俳句にすれば、それは「表現」となり、ほかの人にも味わえるものになります。

物語にもそれと同じような効果があるのです。個人の思いを、物語という枠に入れることによって、読者も実感できるものに変える効果です。物語の形に仕立てていくことによって、その思いをいったん自分の外に出し、じっくり見つめることができるようにもなります。得体のしれない感情から距離を取ることで、自分がなにを感じていたのか見えるようにもなります。

小説ですから、主人公を自分以外の人に仕立てることもできます。舞台をこの現実ではなく、遠い場所や、過去や未来や、自由な場所に設定することもできます。内容も、現実的なものでも非現実的なものでもいい。どんな不思議なことが起こっても、小説だから許されます。自分の見た夢、子どものころの思い出、だれかから聞いた他人の話。小説ですから、題材はなんでも良いのです。ほかの人になりきって、いまの自分にできないことをしてもいい。別の人生を歩んでもいい。自分の思い描いた別の世界を書いてもいい。ふつうの投稿では照れ臭くて書けない思いを書いてもいい。なにしろ小説ですからね。

そして、ただのつぶやきとちがって、自分で小さな世界を作るような楽しみがあります。小説というのは、わかりやすい筋書きがあるものばかりではないのです。わたしの作品のなかにも日常の一コマを切り取っただけのものもたくさんあります。もちろんただ切り取るだけではなく、そこに小説らしいひと工夫は必要になってきますが……。

140字小説でどんなことができるのか考えるために、これから具体的な例として、わたしが書いた140字小説をいくつか紹介していこうと思います。

「はじめに」で書いた通り、わたしがはじめてツイッターに140字小説を書いたのは2012年のこと。そのころにはもうわたし以外にも140字小説を書いている人がいて、ツイノベ、140字SS（ショートストーリー）など、さまざまな名前で呼ばれていました。自然発生したものですから、それぞれが勝手に自分なりの書き方をしていました。

歴史の長い短歌や俳句にあるような決まりごとは140字小説にはありませんが、わたしの作品には、自分が決めたルールがひとつだけあります。それは、「140字以内」ではなく、「140字ぴったり」にするということ。

もうひとつ「途中で改行しない」という独自のルールもあるのですが、これは自分で考えて決めたことではなく、当時のツイッターに改行の機能がなかったからだと思います。ツイッターで改行が可能になったあとも改行しないスタイルを貫いたのは、改行で1文字取られると140字ぴったりではなくなるから、という理由によるものでした。

それだけ決めて、あとはできるだけいろいろなタイプのおはなしを書こう、と思っていました。140字は短いので、終わらせ方にある種のコツがあります。そのコツをつかむと、自己模倣に陥ってしまいます。同じ人間が書いているのである程度は仕方ないのですが、毎回似たような展開にならないよう努力してきたつもりです。

これから紹介する作品は、ツイッターで発表しただけで、これまでわたしが作ってきた「140字小説活版カード」や140字小説集『言葉の窓』には収録されていないものがほとんどです。活版カードや『言葉の窓』の読者の皆さんにとっても、はじめて読む作品が多いのではないかと思います。

3 日々のあれこれ

わたしの作品のなかには、架空の話、不思議なことが起こる話も多いですが、前の項に載せたような、なんでもない日常の一コマを切り取っただけのものもたくさんあります。

20

> 曇っていて、町は静かだった。さらさらと水の音が聞こえて来る。耳を澄ます。マンホールの下から聞こえてくるらしい。地下に水が流れているのだ。下に血管のように水の道がはりめぐらされていると思うと、町が生き物のように思える。身体の上を歩いていく。家々もひっそりと息づいているように見える。

マンホールから聞こえてきた地下の水音を描いた作品です。人の住む場所の地下には水やガスなどの道がはりめぐらされています。どれも人の力で作られたものです。ふだんは意識しませんが、それがあることでわたしたちの生活が成り立っています。

これを書いたとき、まずはそのことに対する驚きがありました。その音が、人々の営みの証《あかし》のように思える。でも、自分が感じたのはそれだけではない、もっと奥がある気がしました。

地下にはりめぐらされた水の道が生き物の血管のように思え、町が生き物の身体のように思えました。人の作ったものは、乗り物でも建物でも、どこか生き物に似ているところがあります。機能を持っているということが生き物に通じているのかもしれません。

町が生き物のよう。でも、まだ自分の感じたことを言い尽くせていない気がしました。わたしが書きたかったのは、そのようなものの上を歩いているという実感そのものかもしれない、と感じました。大きな生き物の上を歩く。まわりにある家々にもわたしと同じ「人間」が住んでいる。「家」もまた、水道やガスや電気が通り、それ自体生き物であるかのようです。

平日の日中のしずかな町でした。通る人もあまりなく、水の音しかしない。そのような状況のなかで、自分がたくさんの生き物に囲まれているような気がした。その不思議な感覚を言葉にしたかったのです。

大切なのは、自分の感じたことを探り、正確に書くことです。なにかを感じたとき、はじめはその感覚をどこかで聞いたことのある言葉で説明できるような気がします。でも、よくよくたどるとそれだけではない気がする。そのズレを探っていくのです。

10

眠くて眠くて仕方がない。季節の変わり目は決まってこんなふうに眠くなる。青い空に大きな雲が流れている。ざああっと雨が降って、空の向こうから晴れて来る。海の匂いがする。水のめぐる星の上に住んでいるのだと思う。雲が星のまわりを回る。眠いのは、季節が身体のなかを通り抜けていくせいなのか。

31

異国の町でスーパーマーケットにはいるのが好きだ。見知らぬ野菜や果物、穀類に香辛料。どんな味か想像もつかない加工食品にわけのわからない飲み物。洗剤や化粧品のパッケージの読めない文字。この町に暮らしている自分を想像し、わくわくする。カートを押して店内をめぐり、なにも買わずに出て行く。

66

空が晴れて木の葉が色づいている。なぜ毎年同じように色づいてしまうのかと少し胸が苦しくなる。ぴゅいいいいいと鳥の声がして、別の方からきゅいっきゅいっという声が聞こえた。どこにもあとが残らない、わたしたち生き物の営み。今日はほうれん草とオクラを買いました。家に帰ってごはんを炊きます。

170

小さなかたつむりが歩いていた。小指の先ほどの半透明の殻を背負っている。どこから来たのだろう。どこまで行くのだろう。夏が来て、世界にはわたしの見たことのない生物がみっしりと詰まっている。みんながだれかと出会えますように。行きたい場所へ行けますように。葉の影が濃く、くっきりしている。

174

夕方あてもなく歩いていると、庭越しに知らない人の家が見える。薄暗い部屋が網戸に透けて、老いた女の人が古い棚に向かって立っている。あの人もだれかの母なのだろう。すでに子は巣立ったが、かつてはあの部屋で夕食の団欒《だんらん》があったのだろう。暮れて、虫の声がして、嘘か幻のように世界が匂っている。

375

高校生の女の子たちが笑いながら歩いている。花みたいだな、と思う。あんなころもあったっけ。もう戻れないんだなって眩《まぶ》しいような悲しいような気持ちになる。彼女たちから光の粉がこぼれてきらきらする。あのころはこんなのは見えなかったよ。今は見える。光の中を歩いている。光を浴びて歩いている。

478

電車に乗ってるとき、むかしは、子どもとか老人とかいろんな人がいるんだなあ、とぼんやり思っていたけれど、いろんな人がいるんじゃなくて、人間のいろんな時期が集まってるだけだった。生まれたときがずれてるだけだった。みんな同じような速さで成長し、老いていく。その切り口を見てるだけだった。

800

向こうの丘の上に鳥の群れが飛んでいる。集まったり広がったり上がったり下がったり、不思議な動きをしている。あれは鳥同士の会話だろうか。鳥たちがなにを考えているかわからない。僕には世界のほとんどのことがわからない。ただ今日一日無事に過ごせますようにと願いながら、朝の紅茶を淹《い》れている。

4 子どもと

小さな子どもの感じること、考えることは、大人からすると計り知れないところがあります。身につけた知識でものごとをとらえる大人とちがって、子どもにとって世界ははじめてのものばかり。理解を超えたものをなんとか身体におさめようと奮闘しているのがわかります。

68

寺の庭で小さい女の子が遊んでいる。しゃがんで小石を三つ並べて、パパ、ママ、赤ちゃんと言う。別の場所のちがう岩の一部だったであろう小石がここに集まり、つかのま家族になって日を浴びている。女の子が去ればまたたくさんのなかに散らばるのだろう。わたしたちの魂もそのようなものなのだろうか。

わたしの娘は3歳くらいまで、大きさのちがう大・中・小の三つのものをならべて、「パパ・

ママ・赤ちゃん」のセットを作ることに夢中になっていました。保育園に通う前でしたから、集団のイメージが我が家と同じ「父＋母＋子」しかなかったのかもしれません。散歩に行くと、葉っぱでも小枝でも三つならべて置いて、「パパ、ママ、赤ちゃん」と指さしていました。

その日も、近所の寺の境内で無数にある似たような石を選んでならべ、石の家族を作っていました。わたしはそれを見ながら、この小石たちももとは大きな岩で、川を流されるうちに小さく丸くなっていったんだろうなあ、と感じていました。

もともとはみんな別々の岩のカケラで、それがここに集まっているだけ。娘が選んだ三つの小石たちも、勝手に娘の手で家族にされているだけ。

でももしかしたら、人の魂もこの小石たちのようなものなのかもしれない。このおはなしは、そんな気づきから生まれました。たまたまだれかの手で選ばれて家族になったけれど、それはつかのまのこと。わたしたちがこの世を去れば、またここに敷き詰められた小石のようになるのではないか。

子どもとともに過ごすなかで、子どもの行動を見ながら、わたし自身も世界をとらえ直していたように思います。その発見を形にした作品です。

56

かえりみち、はなしかけてもおかあさんはぼんやりして、ちゃんとこたえてくれなかった。つまんなかった。かんがえごとしてるの、って、おとなはよくかんがえごとしてるけど、なにをそんなにかんがえてるんだろう。わたしがかんがえるのはひとりのときだけ。だれかといたらかんがえないで、あそぶのに。

164

子どもが昼寝している。お腹《なか》がふくらんで、しぼんで、受け止めてきたものを身体の中で育てている。大きくなるには力がいる。泣きたくなるほど力がいる。生きるのは綱渡りみたいなもので、だけど、息をするごとに少しずつ大きくなる。なんでもないように大きくなってしまう。夏空に飛行機雲がのびている。

263

熱が出て、眠っている子のそばにいる。身体の熱さが伝わって来て、子どもが赤ん坊だったときのことを思い出す。熱を出すと、身体の奥がざわざわした。子どもとわたしは心も身体も別々なのに、いのちだけはつながっている。細い細いなにかで。いまも。赤くなった頬を撫《な》で、早くよくなれ、と祈っている。

283

和菓子屋の店先にお迎え団子があった。あれはなに、と娘が訊く。お彼岸のお迎え団子。別の世界にいるご先祖様がもうじき帰って来るの。見えないけど帰ってくるの。答えてうっかり泣きそうになる。娘はぽかんとする。まだ身近な人の死を知らないから。ふたりで夜の商店街を歩く。暖かい風が吹いている。

314

人って死ぬと焼かれちゃうの。お葬式のあと、娘が言った。でもわたしは、ママが死んでも絶対に焼かない。そしたらママの身体と二度と会えなくなっちゃうから。泣きそうな顔で抱きついてくる。三歳のころだった。何年も経ち、娘も成長した。いつかさらさらの灰になる日、娘はあの日を思い出すだろうか。

335

小さいころの友だちと隠れんぼして鬼ごっこして、娘が小さいころに戻っていく。いつのまにか大きくなっていたんだね。子どもの時間は永遠じゃない。人の命も永遠じゃない。わたしも年をとって、前には戻れない。でも時間を失ったんじゃない。巻き戻せない時間をもらったんだ。並んで夕日を浴びている。

342

壁に娘の背を記した鉛筆の跡が残っている。幼いころのものは信じられないほど低くて、小さいね、と娘と笑う。娘はここにいるけれど、あのころの娘はもういない。笑って、走り回っていた小さいあの子は消えてしまった。時はいつも淡く流れる。あの子を思いながら、娘の頭のうえに一本、新しい線を引く。

5　思い出すこと

わたしの作品のなかには、日常のなかでふとよみがえってくるむかしの記憶を書いたもののたくさんあります。とくに子どものころの記憶にまつわるものです。

わたしは記憶力がいいほうではないようです。それにくらべると、わたしの妹はおそろしいほど子どものころのことをよく覚えていて、話をするたびに驚きます。

この本のはじめに載せた763（言葉の舟のおはなし）を読んだ妹から「お姉ちゃんは子どものころ、夜寝る前に外で車の音や犬の鳴き声がすると、『真夜中に聞こえるのは別の世界の音で、おもちゃの車やおもちゃの犬の声なんだよ』って話してた。このおはなしを読んで、そのことを思い出した」と言われました。もちろんわたしはまったく覚えていません。そんなことを言っていたのか、と驚きました。

妹は「ほんとにむかしのことをなにも覚えてないんだね」と笑い、「逆にどうしてそんなになんでも覚えてるの?」と訊くと、「生まれてからずっと、出合うものが全部新鮮だったんじゃないかな。幼稚園にはいった日から記憶がしっかりあるよ。字が読めた最初の瞬間とか。ひとりで反芻《はんすう》してたから、よく覚えてるのかな？　自分がなにを考えてたか、すごく良く覚えてる。私はその当時と気持ちがつながってるというか、成長してないのかもね」と言っていました。姉妹なのになぜこうもちがうのか。不思議です。

しかし、本によると、一度脳に刻まれたものが消えてしまうことはないのだそうです。どこかにあるのに、たどり着けないだけ。自分の脳のなかの沼のような場所に思い出せなくなってしまった大量のものが沈んでいる。そんな深い沼があると思うと、ちょっと怖くなります。

わたしの父は余命宣告を受けたあと、雑誌にこんなことを書いていました。「KNMM（雑誌「ミステリマガジン」内の小鷹信光特集のこと）の編集作業を通して、久しくお会いしていなかった方やこれまでゆっくりお話しする機会がなかった方とも楽しいひとときを過ごすことができました。最大の収穫は、それらの会話のなかで、私自身がおぼえていなかった大昔の自分についてのさまざまなエピソードを教えてもらえたことです。つまり、他者のなかに生きているもう一人の自分がいるということに気がついたことです」。

記憶とは不思議なものです。わたしのなかにも父がいます。母や妹もいます。妹のようにそれらをはっきり思い出すことはあまりないけれど、ときおりよみがえってきます。靄《もや》の向こうにある、きらきら輝く小石のように。

11

部屋でひとりでスイカを食べている。食卓のうえに電球が揺れている。椅子に座り、足をぶらぶらさせている。畳の部屋で低い机を囲み、みんなでスイカを食べたことを思い出した。あのときは妹がいた。スイカを食べてると自分がカブトムシになった気がすると笑っていた。皿の上に種が並んで、光っている。

62

池が光っている。むかしの知り合いたちが記憶によみがえってくる。あの人もあの人ももう二度と会わないかもしれない。あのころはあれこれ気に病んだが、ほんの短い間のことだったのだ。いろんなことを忘れていく。あったことのうちどれくらいを覚えていられるのだろう。水音がして魚の影が通り過ぎる。

149

むかし近所に好きな自販機があった。夜中になるとわざわざそこまで行って、会話するようにボタンを押した。茂みの下の闇の中の光、下からがたんと出て来る飲み物。あの自販機はもうないだろうけど、記憶のなかに灯《とも》っている。夜の風に吹かれて、だれもいない地球にたったひとつ残った自販機を想像する。

343

身体の底のどこか遠いところで、ぽちゃんと水の音がする。光る魚が泳いでいる。夏の川だ。父さんも母さんもいる。妹とわたしはじゃぶじゃぶ川にはいり、冷たい水が心地よい。疲れて河原に寝転んで、まだ子どもなのに生きることに少し飽きてた。あのころは長かった。一日も人生も無限みたいに長かった。

364

幼いころは自分が特別な存在だと思ってた。僕の世界にまだ家族しかいなかったから。世界が広がると僕は小さくなった。でもいつかだれかの特別な存在になれると信じてた。なのにどこで間違えたのか。ずっといっしょだと思ってたのにもう君はいない。この先も。砂粒みたいな僕がベランダで雲を見ている。

391

祖父の家が壊され駐車場になった。身近な人が死ぬのは世界の一部が消えることだ。身体の一部がなくなることだ。僕が死んだあとにもだれかがこんな気持ちになるかもしれない。消えたくないと願うのは欲深いことだと思う。風のように消えたいと思う。駐車場の上はぽかんと広い。空白が折り重なっている。

559

あのころはひとりで暮らし、店で買ったリンゴを齧《かじ》り、ただふわふわと生きていた。ずっと旅人みたいに、だれも頼らず生きていけると思っていた。拠《よ》りどころも、自分以外大事なものもなく、いつ消えたっていいと思っていた。こんな晴れた日は思い出す。鳥のように軽やかで、無責任だったあのころのこと。

6 死にまつわるなにものか

小学生のころから、死というものについてよく考えていました。夜になると、死んだらどうなるんだろう、存在がなくなるってどういうことなんだろう、とぐるぐる考え続けていた気がします。成績や友だちとの関係より、いつか死ぬことのほうが気になっていたんですね。たいていそんなことを考えているうちに眠ってしまうのですが。

大人になったらこの怖さから逃れられるのだろうか、と思って、父や学校の先生に訊いてみたこともありましたが、「それは怖いことだね」、「大人になっても怖いよ」と返され、そうなのか、いつまでも怖いものなのか、と辛《つら》い気持ちになったりもしました。

同級生などは、「なんでそんなこと考えてるの?」と不思議がる人もいて、「怖い」と答えた人たちも、「友だちと会えなくなるのが辛い」「死ぬ瞬間の苦しみが怖い」と答える人が多く、わたしとは全然ちがうんだ、と驚いた記憶があります。日常的なことはあまり覚えていないのに、こういうことばかりよく覚えているのですね。

60

屋上で友だちと死について話した。ひとりは死ぬ瞬間の苦痛が怖いと言い、もうひとりはサッカーできなくなるのが辛いと言う。驚いた。僕は、死んでいなくなることばかり怖れていたから。存在しないって怖くないか、と訊くと、バカだな、とみんな笑った。僕も笑った。みんなの影が並んで長くのびている。

子どものころの驚きを作品にしたものです。それから数十年が経ち、飼っていた犬も死に、祖父母たちも亡くなり、父も他界し、友人・知人も何人か向こうの世界に旅立ちました。それでももちろん、いまだに死ぬとはどういうことなのかわかりません。

いまも死ぬことについて考え、こうして文章に綴《つづ》っています。これほど長いあいだ考え続けてきたものはほかにないかもしれません。死んだことがないからまったくわからない、見えない、それにきっとそこはなにもないのだろうけど、ずっとわたしのとなりに寄り添っている、ひんやりした分身のようなもの。

最近はそんなふうに思えるようになりました。なにがなくなっても、これだけはずっとわたしのとなりにいるだろう。怖いけれどほのかに安心するような、不思議な気持ちです。

37

水の底のすべすべした白い石。これまで一度も人の死に立ち会ったことがない。死んだ親戚も知人もいるが、死の瞬間に居合わせたのは飼い犬のときだけだ。みんないつのまにか死ぬ。ぽっかりと。そこにいたものがいなくなる。境目がどこにあるのかわからない。自分が死ぬときにもわからないかもしれない。

192

水たまりに街が映り、人々が歩いていく。僕の心にもたくさんの人が住んで、大きな世界のようなのに、僕が死んだら一瞬にして消える。人なんて穴がひとつあいただけで死ぬ。そしたら世界も消える。水たまりが消えるように。そのことが悲しいより怖いよりなんとなく不思議で、いつもぽかんとしてしまう。

205

墓地を歩く。人の身体のことを考える。もうこの世にない血や内臓のことを考える。身体が灰になるとき心も燃えてしまうのだろうか。魂も砕けていくのだろうか。痛いだろうか。寂しいだろうか。夕焼け空が広がっている。わたしの灰にもこんな光が降り注ぐだろうか。燃えている。世界が全部発光している。

256

梅が咲くと、むかし友だちのお母さんが亡くなったときのことを思い出す。今みたいな季節だった。なにを言ったらいいかわからなくて、だれでも親はいつか死ぬのだからありきたりのことだと思い込もうとした。浅はかな子どもだった。あの子はどうしているんだろう。だれかのお母さんになったのだろうか。

387

こんな薄暗い日は、むかし飼っていた犬を思い出す。年老いて、弱っていた。黒いビー玉のような瞳を見たとき、もう死ぬんだと思った。怖くて目を閉じた。その夜、犬は死んだ。今でも思い出す。あの黒い玉のなかになにがあったのか。目を閉じないで、もっと見ればよかった。ちゃんと見てやればよかった。

520

あの空を流れていくのはなんですか。ふわふわと流れていくのはなんですか。見えるような見えないような、あるようなないような。あれはなんですか。冬の日差し。世界がすべて廃屋のようです。きいきいとブランコの音が鳴っている。あるようなないようなにかの気配が、風といっしょに浮かんで消える。

526

ふいにやってくる悲しみは、また波のように去っていく。ずっと死が怖かった。得体が知れず、のみこむことができない。長く生き、のみこんだって死はいつか訪れるのだと思うようになった。凪《な》いだ浜を歩く。わたしたちは生きている。それだけが確かなこと。わたしたちは生きている。波の上を歩いている。

555

亡くなった人からの手紙を引き出しにしまう。もう二度と見ないかもしれないのに、だれかに伝えるつもりもないのに、とっておく。わたしが死んだとき棺《ひつぎ》に入れてもらおうか。ただそれだけのためにとっておく。わたしが生きているあいだ、亡くなった人がそこにいた証として、引き出しの闇を満たしておく。

7 愛について

愛というものはよくわからない。そんなことを言えば、生きることも死ぬことも、世界にあるもののほとんどがよくわからないものではあるのですが。なかでもとりわけ「愛」がわからないように思うのは、「愛」がひとりでは成り立たず、必ず相手がいるものだからかもしれません。自分のことはわからない。でも、人のことはもっとわからない。

わたしの140字小説には恋愛にまつわるものはあまりありません。あるにはありますが、すでに終わってしまったものを思い返すようなものがほとんどです。なぜか渦中にいるあいだの恋愛は「愛」とは全然ちがうもののように思えます。「愛」以外のたくさんのものがまわりに鈴なりになっていて、本体が見えなくなってしまうようです。「愛」が過ぎ去ったあと、あれが「愛」だったのか、と思う。いつもうしろ姿しか見えないのです。

先ほど「愛」はひとりでは成り立たない、と書きましたが、なぜかわたしのなかでは、「愛」は「孤独」とセットになっているようです。相手を大事に思っても、その人のためにできることはかぎられていて、すべてを理解することも、その人の命を背負うこともできない。愛について考えるというのは、自分自身がひとりであることと向き合うことのように思えます。

799

人が人を想《おも》うというのは、遠ざかっていくその人のうしろ姿をぼんやりながめるようなものなのではないか。相手と共有することができない、ひとりきりのものなのではないか。どんなに近くにいても心は別々の岬の突端にいて、遠くにいるその人を想っている。そういう、なにより孤独なものなのではないか。

愛でもなんでも、人は形のないものに言葉で名前を与えるけれど、言葉があるからといって、操れるわけではないのです。名前とそのものの正体との関係はあやふやです。
人はなんにでも名前をつけ、成長するにつれてそれを覚えていく。大人になると世の中のほとんどのことを知っていて、ほかの人とほとんどのことを伝え合えるような気持ちになりますが、実際にはわけのわからない、あるのかないのかわからない不確定なもののなかで、ただひとり佇《たたず》んでいるだけなのです。まわりのほとんどのものが未知だったころと同じように。
それでも「愛」はかけがえのないもので、愛によって生きている、とも思うのです。

85

二十年ぶりに会ったその人は少し皺《しわ》が増えただけで、前と変わらなかった。窓辺の席で微笑《ほほえ》むと初々しい面影と重なり、わたしは彼女を好きだったのだと気づいた。こんなに経って、はじめて気づいた。たぶんあのころはまぶしすぎてよく見えなかったのだ。外の町並みも変わり、空気が悲しいほど澄んでいる。

246

あなたのマフラーからあなたの匂いがした。いっしょにいると諍《いさか》いばかりだったのになぜあなたでなければならなかったのか。わからない。あなたはもうどこにもいないのに時間は一方にしか流れないのになぜこの匂いがここにあるのか。わからない。ぽっかりした黒い穴のようなものにそっとマフラーを巻く。

257

ぽきんと折れてしまいそうな人だった。人には見えないものが見える人だった。愛を飲み込めない人だった。瞳が海のようで、空を見あげると、瞳に空が溶けて、そのまま消えてしまう気がした。あの人はいまもあの目で世界を見つめているのか。人の形を保っているか。それともう、海になってしまったか。

271

待っているのが好きなんだ。それがいいことならもちろん、ほんの小さなことでもいい。待ってるときって、少し先に光が灯っているみたいなんだ。心がぽっとあったかくなるんだ。だから待たせるのが申し訳ないなんて思わなくていい。とくに待っているのが君なら、それはもうすばらしく素敵なことなんだ。

313

風がごうごう鳴っている。知ってるよ、世界が幻なんじゃなくて、僕が幻なんだって。心は僕だけに見える幻で、消えていくしかないんだって。心じゃ世界を壊せない。だからいいんだ。君が嘘つきなのも僕がひとりぼっちなのも、いつか消える。だからいいんだ。風が僕を消せばいい。跡形もなく消せばいい。

353

明け方、鳴き出した蟬《せみ》の声を聞きながら、君のことを考えていた。どうしても許せないと思ったり、もう会うことはないだろうけどそれでもどこかでつながっているような気がしたり。でもきっと、それは全部まぼろし。汗のようなまぼろし。のぼってきた太陽が雲を照らし、しずかにしずかに喉が渇いてくる。

404

君は覚えているだろうか、むかし学校の帰りよくふたり乗りしたことを。君のうしろにわたしが立って、夕暮れの商店街を走った。いま思えば狭い道をゆっくり走っていただけなのに、なぜあんなに自由に感じたのか。豆腐屋も青果店も楽しげで、空に飛んでいけそうだった。永遠にどこまでも行けそうだった。

431

君は原っぱと蜂蜜が好き。僕も原っぱと蜂蜜が好き。一目見ただけで運命だとわかった。うれしくて楽しくて、原っぱをどこまでも走っていった。雲がふわんと波打って、うれしくて楽しくて、そのうち原っぱは永遠になって、君も僕もそこに漂う夢になる。君は原っぱと蜂蜜が好き。僕も原っぱと蜂蜜が好き。

435

海の匂いのする町で、わたしは最初の恋をした。ただ波の音だけがして、海が遠く光ってた。砂の匂いのする人だった。はじめからいつか終わると気づいてた。いまもときどきあの匂いがよみがえり、わたしの中の海がふくらむ。ふくらんでふくらんであふれそうになる。砂の匂いと波の音、遠い遠い海の輝き。

509

少しずつ暮れるのが早くなる。どこまでが秋でどこからが冬か、線引きできない。あなたがいなくなったのもこんな季節だった。好きと憎いは線引きできない。好きと憎いは同じだよ、どうでもよくなれば忘れてしまう。冬という字が好きだとあなたは言ったね。指で宙に冬の字を書く。涙のような点々を打つ。

612
星の光が降ってくる。なぜだろう、こんなきれいな夜にいっしょにいるのに、君にちっとも近づけない。君は君のまま、僕は僕のまま。それはいいことだよね。僕は僕で、君は君だから、ひとりじゃなくてふたりでいられる。君が君であることが、僕を僕にしてくれる。星と星のように互いの光を見ていられる。

775
青空に巻雲が広がって、あわい夢のようにうつくしい。形がゆっくり変わっていき、見ていると泣きそうになる。人はなんでも忘れていくとあなたは言うけど、忘れられないこともいくつかはあって、胸の奥でずっと脈打っている。雲をとどめることはできない。少しずつほどけ、空に溶けるまで見つめている。

8　生きている

生きることは、わたしにとってとても重要なテーマです。わたし自身が生きる気力に満ち溢《あふ》れているわけではなく、どちらかというと、自分はなんで生きてるんだろう、とへこたれながらなんとか生きてます。むしろ、だからこそ生きることが大事なテーマなのかもしれません。

生きていることをいちばん実感するのは早朝です。町はまだ動きはじめる前。雲はその形も動きも日によってちがい、いくつも連なった雲が列になって流れていくときもあれば、淡く広がった雲が現れたり消えたりするときもあります。種類はさっぱりわかりませんが、いくつもちがう声の鳥が鳴いて、同じ声のもの同士がなにかを伝えあっているようにも聞こえます。道路にはときおり車が通り、仕事に出かけるらしい人の姿が見えます。

外にはわたしの知らない世界がいくつも重なりあっているんだな、と思います。おたがいに言葉を交わすこともなく、ともにこの世界にあり、どこかでつながりあっている。そうやって生きている。みんなただ生きて、いつか死ぬ。だれがいなくなってもこの世界は続いていく。

そう思うと、なぜか世界のなかに自分ひとりぶんの隙間ができたような気持ちになります。いろいろなことがうまくいかなくても、自分が無力だと感じていても、とりあえずその隙間があれば生きていくことはできる。もちろん、だからといって元気いっぱいになるわけではありません。でも、それなら今日一日、生き続けてみてもいいか、と思うのです。

663

血を流して生きるのが嫌になって、魂だけにしてくださいますか、と神に尋ねた。神はガラスのような目の鳥を指し、それはああなるということだ、と言った。あの鳥には一滴の血も流れていない、重さも心もなくただ飛ぶだけ。そうなるのが怖くて結局いまも生きている。鳥になる日を思いながら歩いている。

身体を持って「生きている」のは重いこと。生き続けるにはほかのものの命を奪い続けなければならず、絶対に正しいことなどどこにもない。そうやって生きても、いつか終わりが訪れる。生きるとは、なんとも大儀なことだなあ、と思います。なんのためにそんなことをしなければならないのか。どこにも答えはありません。それでもなんとかやれやれと立ちあがり、朝の紅茶を淹れて、その日の仕事をはじめるのです。

279

ひとり暮らしの小さな部屋で僕はひとり目を覚ます。窓の外のだれもいない道に自転車が一台走っている。不安なんだ。今日一日うまくやっていけるのか。僕になにができるのか。死んだあとだれか覚えていてくれるのか。窓を開け日を浴びる。死にたいようなまぶしい朝だよ。それでもなんとか歩いていくよ。

324

魚の卵を食べているとほろほろ涙がこぼれてくる。命は不平等なものなんだ。わたしが生きるためにたくさんのものが死んでいる。生きる喜びの陰に死んでいくものたちがいる。生まれないままの命がすうっと喉を降りて、わたしのなかの海に行く。生きるも死ぬも得体が知れない。ぬめぬめとたゆたっている。

388

みんないろいろ言うけれど、若いころは苦しいし、働き盛りは辛いし、老いていくのは悲しいものだ。それでもときにしあわせなことがあって、なんとかようやく生きている。いつかそれもみな消えてしまうのだけれども。心なんてものを持ちながら人はなぜ生きていけるのか。ときどきふいにわからなくなる。

433

こんな晴れた空の下で、ただ立って祈ることしかできない。なにかを差し出せるわけでもなく、開いた手のひらに人ひとりの命をのせることもできない。強い風が吹いて、わたしたちは災いと災いのあいだを、死と死のあいだを生きているんだと思う。なにも成し得なくても、自分の足で立っているんだと思う。

562

ぼんやり雲を眺めている。雲と話すには言葉を捨てなければならない。雲と飛ぶには身体を捨てなければならない。そんなことを考えているうちに少しずつ瞼《まぶた》が重くなる。夢のなかでわたしはいつも雲と話しているのかもしれない。飛んでいるのかもしれない。目覚めたあとそっくり忘れてしまっているだけで。

648

ときおり浮かびあがってくるそれを、いつも沈めて生きてきた。それの正体もわからないままに。でも今度浮かんできたら、すくいあげてみようと思うんだ。赤いか黒いか。日に透かせば案外きれいなものかもしれない。わたしはもう大人なのだから。それといっしょにひとりで生きなければならないのだから。

678

夕方、枯れかかった庭の草を見ながら、この世にはまだこんなふうにやさしいものがあるんだ、と思う。なにかしてくれるわけじゃないけど、ちゃんとそこにあって手を伸ばせば触れることができる。それはしあわせなことだろう。夏が終わる。草も枯れる。冬になっても土のなかにやさしいものが眠っている。

803

人は生きているかぎり、必ずどこかにいなければならない。起きて、寝て、食べる、そういう場所が必要だ。最近そのことに少し疲れてしまって、ただ遠くで鳴く鳥の声を聞いている。空は晴れて、朝一面に広がっていた雲はもうどこにもない。わたしの心に跡を残して、なにも、どこにもなかったかのように。

9　水と地球と

わたしの140字小説には、雨や水について書いた作品が多いようです。決して雨が好きというわけではありません。建物のなかからながめているぶんにはいいですが、雨が降ると外に出るのも億劫《おっくう》になります。とくに寒い季節の雨は辛いです。でも、なぜか雨の日は心の蓋が少しゆるんで、いつもは考えないことに目を向けてみたりするようです。

191

夜、糸のような雨が降って、木も土も濡《ぬ》れてゆく。音もなく、人の心も夢もゆっくりと沈んでゆく。水の底に沈んでいるなにか、忘れていたなにかに指先が触れて、ひりひりする。忘れないでいること。忘れること。人にはどちらも等しく大切なんだね。雨と陽射《ひざ》しのように。雨に触れる。皮膚がゆるんでいる。

雨が降っていろいろなものが濡れていく、というのは、有名な西脇順三郎の「雨」という詩へのオマージュです。最初に出合ったのは高校のときの教科書だったでしょうか。

「南風は柔い女神をもたらした。／青銅をぬらした、噴水をぬらした、／ツバメの羽と黄金の毛をぬらした、／潮をぬらし、砂をぬらし、魚をぬらした。／静かに寺院と風呂場と劇場をぬらした、／この静かな柔い女神の行列が／私の舌をぬらした。」というこの詩を読んだとき、官能的で大きなものに全身を包みこまれるような感覚がありました。

噴水や魚などすでに濡れているものまでを濡らす。すでにたくさんの言葉を持ち、言葉でものを考えているわたしたちの心に、言葉が降り注ぐように。

わたしたちの身体もほとんどが水でできている。身体のうちに水を抱えている。人だけではなく、草も木も、生きているものはみな。そういうわたしたちを外から濡らしていく水。わたしたちの境界を溶かしていく水。忘れないでいることと忘れることがどちらも大事。

雨の音を聞くうちに、ふと浮かんだ言葉です。どこからやってきたものかわからないけれど、遠くからの贈り物のように感じました。雨の日はまわりが見えず、ほかの音も聞こえないぶん、ずっと遠いところから、忘れていたものが届くのかもしれません。

277

川面がきらきら光っている。人の身体のほとんどは水だと聞いた。水は、雨になったり海になったり、雲や生き物の身体になって、地球のうえを巡っているらしい。あの川にも雲にも、かつて人だったものが混ざっているのだろう。あの人もあの人も、木や草花だったものも混ざって、きらめいているのだろう。

321

南の国に住む友人から絵葉書が来た。雨期があけました、と書かれ、裏はもくもくした雲の写真だった。その雲がどんどんふくらんで、絵葉書からはみだし、窓の外に飛んでいく。あっと思った瞬間、雲からざあっと雨が降った。ベランダに小さな水たまりを作り、しゅわっと消えた。晴れた午後のことだった。

339

雨が降って水たまりができた。雨があがって水たまりは空を見た。雲が流れ鳥が飛んでいた。きれいだ、と水たまりは思った。人の靴で水面が乱れるのもよい退屈しのぎだった。その日はそんな水たまりがたくさんあって、地面に開いた瞳のようにいっせいに空を映していた。消えてしまうまで空を映していた。

403

雨が降っている。だれひとりいなくなった世界を想像し、街を見ている。だれかとつながりたかった。それでいてだれのものにもなりたくなかった。半身に会うことに焦がれ、もうひとりのわたしなどいないと知った。どの魂も気高く、ひとりのまま消える。雨の音を聞いている。ひとり、雨の音を聞いている。

426

屋根の上に座り、月のない夜の闇に足を浸す。ひたひたと水が満ちてきて、街が沈んでしまったのがわかる。水に潜り、真っ暗な街の上を泳ぐ。水はやさしい。水の中なら泣いたっていいと思う。魚には瞼も涙腺もない。きっと必要ないんだろう。僕らは海に還《かえ》るために泣くんだ。遠く空が白む。街が光り出す。

432

待っている夢を見た。わたしは小さな生き物で、浜辺でなにかを待っていた。朝は淡い光に包まれ、夜は波の音を聞く。何回も何回も波が寄せては引いて、わたしは小さくしおれていった。なにを待っていたのかさえわからず、目が覚めた。人生のように長い夢だった。波の音だけがあかるく、耳に残っていた。

706

雨が降っている。生き物はみな死ぬときに音を立てない。しずかに空に手放される。雨が降って春になる。花は開くとき音を立てない。散るときもしぼむときも音を立てない。季節は音もなく変わって、わたしも音もなく年を重ねる。なにもかもしずかに変わっていく。雨が降っている。雨が降って、春になる。

746

雨が降っている。僕の耳の奥にある湖にも落ちてきて、ぽつんぽつんと音を立てる。小さな丸い波紋を作る。水面が雨の波紋でいっぱいになる。湖のまわりには森が広がって、木々の葉にも雨が落ちる。音を立てる。僕のなかに世界が広がる。どこにもない世界に雨が降る。その音をひとりしずかに聞いている。

10

ウソとホント

140字小説を書くのが楽しいのは、おはなしだからです。絵空事だからです。

219

小さいころから絵空事が好きで、大切な人たちといても半分くらい心は絵空事のなかで遊んでて、いつもごめんねって思ってた。でも心なんてそもそも絵空事で、心に映った世界も結局絵空事で、みんな絵空事のなかで生きてるんだし、と思ったり。羽衣みたいな雲がのびて、悲しみってあんな形かなと思った。

わたしは子どものころからおはなしを読むのも作るのも好きでした。小学校一年で作文を覚えると、すぐに物語のようなものを書くようになりました。最初に書いたのはたしかアンデルセンの「はだかの王様」の後日談でした。王様がなぜかいろいろな生き物になって冒険をして、賢くなってお城に戻り、王様を騙《だま》した人たちをつかまえる、という話でした。

物語を作るのは、日常的な作文を書くより、ずっと面白かったのです。おはなしのなかではどんな人にでもなれる。現実にはありえない面白いことが起こってもいい。空を飛んだり、ペンギンやクジラと話すこともできます。そこが楽しいのです。

ところがここが不思議なところなのですが、全部作り話より、少しだけホントの部分があったほうが人の心に残るようです。書き手がほんとうに感じたこと、体験したことが少しだけ混ざっていると、まやかしに独特の手触りが生まれるのかもしれません。

おはなし作りは夢と少し似ています。夢のなかでは、たいていありえないことが起こります。なのにとてもリアルで、夢のなかにいるあいだはそれがホントのことのように思えています。荒唐無稽なことなのに、本人にとってはすごく切実な気持ちに結びついているからです。

焦りや恐怖、憧れ。強い感情が作り上げた像ですから、現実よりなまなましく、現実よりリアルとも言えるでしょう。同じように、絵空事でしかたどりつけない「ホントの気持ち」というものもあるのだと思います。

とにかく、おはなしを作るのは楽しいことです。おはなし作りは、道具もなにも必要のない、ひとりきりで、どこでもできる究極の遊びです。おはなしのなかなら好きなことができます。自由に楽しんで大丈夫。なにしろ、小説ですからね。

19

古い一軒家の前にサボテンの鉢がたくさん置かれている。同じ種類のものばかり百個近くある。表札はなく空き家のようだが、世話はだれがしているのか。サボテンは砂漠の植物だから水はやらなくてもいいと聞いた。家のなかに大きなサボテンが住んでいて、自分から出た芽を鉢に植えているのかもしれない。

22

活字屋に行った。むかし、うつくしい文章に出会ったのです、と店主は言った。ふさわしい字を作りたくて、何十年もかかりました。ようやく完成したというのに、その文章が思い出せないのです。さびしそうに言って活字を出した。鉄色の活字は一字ずつがうつくしく、組まれることを拒んでいるようだった。

53

海岸に巨大な白い瓢簞《ひょうたん》が流れ着いた。瓢簞は神として祭られ、瓢簞をめぐる戦争が起きたりした。やがて人はだれもいなくなった。ある日瓢簞が開き、音がした。瓢簞が聞いた音がすべてしまわれていたのだ。聞くもののない砂浜に音だけが響いた。最後に小さな瓢簞をひとつ産むと、瓢簞は海に流れていった。

130

夢の中で種を埋めた。芽が出ないうちに目が覚めた。それから、壁でも机でも、わたしが手を触れると芽が生えてくる。おかげで部屋がずいぶん森のようになった。呼吸するたびに身体の中にも葉が茂っていくようだ。ひとり暮らしだが、少しもさびしくない。だがもしかすると、まだ夢の中なのかもしれない。

167

引き出しから手紙が出て来た。遠いむかしの出せなかった手紙。どうするか迷っていると廊下から山羊《やぎ》がやってくる。手紙をくわえ、むしゃむしゃ食べる。山羊の目の奥にむかしの風景が浮かび、過ぎ去った思いが閃《ひらめ》いている。どこから来たのだろう、この山羊は。首の毛がしなやかで、やさしい山羊だと思う。

231

月が浮かんでいる。月は自分が月と呼ばれているのを知らない。地球に僕らがいることも、僕らが月を見つめていることも。遠い未来、人のいない地球のことを考える。きっといまと同じように、月が白い光で照らしているのだろう。そう思うと、僕は少しほっとする。月の光を浴びて、町がしんと光っている。

サバンナに一頭のシマウマがいるとする。母親から生まれ、草原を走り、いつか死ぬ。僕と一生会うことはない。僕はシマウマを知らないし、シマウマも僕を知らない。大事なのは、今この瞬間シマウマが風に吹かれていることだ。一度も出会わないシマウマと僕。世界とは不思議なものだ。心に遠い風が吹く。

アザラシと空を見ていた。急に星がひとつ消えた。僕はぶるっとした。アザラシの毛が逆立った。とてつもなく長い命が消えたのだ。星の光が届くには何百年もかかります。だから消えたのはずっと前ですよ。アザラシは冷静に言う。でも声は震えている。怖いね。怖いです。空の下でぴったり寄り添っていた。

497

薄曇りの日、部屋の隅に人の形の影がしゃがんでいるのが見える。窓の外を眺め、寝そべったり頬杖をついたり、鼻歌を歌ってるみたいに揺れたりする。楽しそうだ。わたしにはなにも聞こえないけれど。それがだれなのか、なぜそこにいるのかわからないが、楽しいなら好きなだけそこにいたらいい、と思う。

570

夢を見た。広い平原を歩いていた。まわりにはたくさん動物がいて、みんな黙々とどこかに向かって歩いている。象やキリン、羊やヤギや牛のような生きもの。空には雲が流れ、動物たちは川の流れのように進んでいく。目が覚めて思った。いっしょに歩いたあの動物たちがみんなどこかに着けますように、と。

695

空に大きなしゃぼん玉のようなものが浮いている。いくつもいくつも。あれは死んだ人の魂だってばあちゃんは言ってた。ばあちゃんが生きてたころは見えなかったけど、最近俺にも見えるようになった。笑ってごめん。知らなかったよ、こんなきれいなもんだったなんて。空いっぱいに広がって、光っている。

794

絵を描いている。空想の町の風景を何枚も。最近は絵を描いているときだけ目が冴《さ》えていて、ほかの時間はとても眠い。空想だと思っているが、ほんとはそんな町がどこかにあって、わたしはそこの住人が見ている夢のなかで生きているのかもしれないと思う。その人が目覚めたら消えるのかもしれないと思う。

第2章 書いてみよう 基礎編

1　140字の物語を書いてみよう

これまで読んでいただいた140字小説は、すべてSNSのツイッター（現X）で発表してきたものです。これだけの数のおはなしを作ることができたのは、SNSという媒体のおかげだったと思っています。なにしろ、書いたらすぐに発表できるのですから。

SNSが生まれるまでには、作品を書いてもそれを発表し、人に届けるためにはたくさんの手続きが必要でした。詩や短歌、俳句なら、雑誌や新聞、結社誌などに送って選者に認められる。小説なら文学賞に投稿して、賞を取る。いずれも狭き門です。

同人誌や自費出版で本を作る、という方法もありますが、こちらは自分たちで編集作業をし、お金をかけて印刷し、販売する、という手順を踏まなければなりません。

SNSというのは、書くことから人に届けることまでがすべてセットになった便利なツールです。おはなしを書いてから人に発信するまで、なにもかもがスマホ1台でできる。手間もお金もかかりません。必ずしも良いことばかりではありませんが、だれでもすぐに取りかかることができ、負担がないのはたしかです。

小説や詩や短歌や俳句をＳＮＳで発表することもできますが、それらの形式にはどれも長い歴史があり、創作にまつわる理論、ルールが存在します。その点、ＳＮＳ時代に生まれた１４０字小説にはまだ明確なルールがありません。そういう点でも、ほかの形式より自由で、取り組みやすいのではないかと思います。


思いを短いおはなしにまとめることには意味がある。そのことについては1章でお話ししてきました。まだ文章による創作をしたことがない人も、おはなしを書くことではじめて見えてくるものがあるはず。１４０字小説はその入門にも適しているのではないか、と思っています。

しかし、「短い物語を書く」ことは良いとして、別に１４０字でなくても良いのではないか、と感じる方もいらっしゃるでしょう。いまやツイッターもXと名前を変え、１４０字以上の投稿も可能になっていますし、自由な長さで書いたほうがよいのではないか、と。

でも、いろいろ考えた結果、この本では「１４０字小説を書いてみよう」と提案することにしました。やはり、創作する上で、形式があるのは大事なことだと考えたからです。

日本人ならたいていの人は五七五七七のリズムに慣れています。短歌や俳句にはそれ以外のむずかしい点もあるけれど、川柳や標語のようなものが七五調になっていると落ち着く、という感覚があるのではないでしょうか。七五調になると「形が決まった」と安心する。

文章にかぎらず、芸術や創作にはたいてい型があって、それを習得することが創作の一歩となります。「型にはまる」という言葉は悪い意味に取られることが多いですが、最初は「型」を覚えることも大事です。140字小説にあるのは、全体の文字が140字（以内）というゆるい規則だけです。でも、それを守るだけで、「できた」という満足感を得られます。

制限があることで、そのなかで正確に表現しようと努力するようになります。おはなしを人に伝えるために絶対に入れなければならない要素、入れたいけれども捨てなければならない要素を見極めたり、同じことをもっと短い言葉で言い換えたり、という工夫をしなければならないこともあるでしょう。そのひとつひとつが文章を作る練習になります。

そして、言葉の分量の感覚がつかめるようになります。なにか書きたいことがあったとき、それが140字で表現できることなのか、もっと字数が必要なことなのか、それを見極められるようになってきます。これは長い文章を書く上でも役立つことでしょう。

また、短い物語には短い物語の良さがあります。ふつうの小説であれば、物語に登場する人物がどういう人か、それがどういう場所か、などの記述や描写が求められます。それがしっかり描かれていることによって、読者もその世界を思い描くことができ、その世界にはいっていくことができるようになります。物語が長くなるほど、こうした要素が重要になります。しかし、短い物語では、その必要がありません。それを書いていると140字はあっという間に終わってしまい、大事なことが書けなくなります。

たとえば、わたしの作品532を見てみましょう。

なにを見ても君を思い出すから、君と暮らした町を離れた。海辺の家で暮らして、やっぱりなにを見ても君を思い出す。だけど気づいた。その記憶が僕を守っていると。今朝、君の夢を見たよ。白く明るい夢で、覚めると少し幸せだった。生きてるものはみな呆気《あっけ》なくいなくなる。砂の上で波の音を聞いている。

ここには、「僕」と「君」のふたりしかいません。「僕」とあるので、語り手は男性でしょうか。でも、一人称が「僕」の女性だってめずらしくはない。年齢もわかりません。相手の「君」はもっとわかりません。恋人のように読めますが、友人かもしれない。兄弟かもしれない。もしかしたら、飼っていた犬や猫かもしれない。相手がだれでも成立します。

詩や短歌でも似たようなところはありますが、詩や短歌の場合は「語り手＝書き手」の印象を与えます。そうでない作品もありますが、そのことを読者に伝える工夫が必要です。しかし小説であれば、主人公はだれでも良いのです。

この作品では、人物以外のこともはっきりしません。「君と暮らした町を離れた」とありますが、その町がどんな町だったのかは少しも書かれていません。都会だったのか、郊外だったのか。住んでいたのは一軒家か集合住宅か。ふたりは何年ぐらいそこに住み、どんな暮らしをしていたのか。豪華な暮らしかつましい暮らしか。「僕」のいまの暮らしのことも同様です。でも、だからこそ、読み手の想像が広がるのです。

人によってまったくちがう像を思い描くでしょう。時間をおいて読めば、最初に読んだときとはまたちがう人物、情景を思い描くかもしれません。短いからこそ、小説だからこそ、自由に想像でき、だれもがそこに自分の経験を重ね、感情移入することができるのです。

ただ、実感を持って読んでもらうためには、大事なことを選び、それをしっかり描き出さなければなりません。日本語の140字は、それが可能な長さだと思います。あるひとつを描きだしてしっかり伝える。飽きずに読み通せる。そういう絶妙な長さなのではないでしょうか。

そして、もっと長い小説を書きたくなったときも、140字小説で培った文章表現や物語作りの技術はきっと役立ちます。小説創作を学ぶ最初のステップとしても取り組みやすい形式といえるでしょう。

では改めてご提案します。

１４０字の物語を書いてみましょう。

もちろんできたものをそのままＳＮＳに流してもよいですが、はじめはノートに書きためていくのでもよいと思います。ちなみに、わたしが１４０字小説を書くときは、直接ＳＮＳに書きこむのではなく、たいてい下書きをしています。

書きたいことを思いついたら、まずはざっと書いてみますが、最初からぴったりくる言葉にならないことも多いのです。言葉の選び方、出来事のならべ方も、最初に思いついたものが良いとはかぎりません。練っていくうちに面白みが足りないと感じたり、落としどころが見つからなかったり、良い形にならなかったりで、お蔵入りしたものも実はたくさんあります。

お蔵入りになったものも、完全に捨ててしまうわけではありません。いつか探していたパーツが見つかって完成する可能性もありますから、メモ書きとして残しています。

良い形にたどりつくまで練りこんでから、字数を整えていきます。

次の項から、書くときのポイントを実例を使ってお話ししていきます。とはいえ、書き方は人それぞれですから、実際に書いてみて、自分なりの書き方を見つけていっていただければ、と思います。

2 物語には構造がある

140字小説は、短歌や俳句の五七五や七七のようなリズムが決まっているわけでもありません。でも小説ですから、ふつうの文章とは少しちがいます。

ショートショートのように読者をびっくりさせるような「オチ」があると思っている方も多いかもしれません。でも、そうでない作品もたくさんあります。日常をそのまま綴ったものでも、これは小説だなあ、と感じる作品は数多く存在します。

ただ、そうした作品の場合も、小説らしい展開、いわゆる「起承転結」のようなものはあるように思います。「起」とは、ものごとのはじまり。「承」でそれを受けてさまざまな出来事が起こり、「転」でそれを覆すような事件が起こり、「結」でそれによって生じた変化を描く、というものです。

もちろん物語がすべてこの方法だけで作られているわけではありませんが、はじまりがあって、なにかが起こることで生じた変化を描く、というのは多くの物語に共通しています。

わたしの140字小説にもやはりこの起承転結があるようです。たとえば、わたしの140字小説の1を分解すると、次のようになります。

海のなかの町に行った。（起）
海沿いにあるさびれた遊園地の裏の狭いガードを抜けると、水中に商店街が続いている。古いボタン屋に貝のボタンが並んでいた。全部この海で取れた貝ですよ、と店のおばあさんが言った。（承）
ボタンを三つ買って地上に戻った。（転）
どこかから海の匂いがして、まだ海のなかにいる気がした。（結）

海のなかの町に行ったわたしが、そこでボタンを買って地上に戻ってくる。

海のなかの町というのは、ちょっと黄泉《よみ》の国を思わせます。イザナミを追って黄泉の国に行ったイザナギはそこでイザナミの姿を見て逃げ出し、黄泉醜女《よもつしこめ》に追われます。イザナギは黄泉醜女に山葡萄《やまぶどう》、筍《たけのこ》、桃を投げつけることでなんとか地上に戻ってきます。

また、海に行くといえば、竜宮城に行った浦島太郎のおはなしもあります。浦島太郎は玉手箱を受け取って帰ってくるのですが、玉手箱を開けたとたん、おじいさんになってしまう。

ボタンを受け取ったままの「わたし」がこのあとどうなるのか……。気になるところです。それはさておき。おはなしの転換点となっているのが、「ボタンを三つ買う」というところ。行ったままではなく、この転換によって、「わたし」は地上に戻ってきます。意外な「オチ」というのとはちがいますが、ちゃんと「起承転結」のような流れになっているのです。

次に、402を見てみます。この作品を分解するとこんな感じになります。

人の背骨にはその人の真の名前が書いてあるんですよ。言葉ではない別の形で。（起）
僕の一族はそれを読むことができるんです。祖父母の名も両親の名も死んではじめて知りました。（承）
でも、本人が死なないと見られない。僕も自分のは見ることができない。（転）
気になるけど仕方ない。真の名とはそういうものなんです。（結）

わたしの140字小説には存在しない伝承がよく登場しますが、これもそのひとつです。名前というのは不思議なものです。生まれる前にほかの人によってつけられた名前を背負って、人は一生を過ごします。むかしは成長するごとに名前が変わっていくという習慣もあったようですが、いまは戸籍の名前を変えるのはなかなかたいへんです。

本人が生まれる前に親や親類が名前を考えることも多いですから、名前というのは、本人を見てもいないうちに決められる、まわりの人の願いだけでできたもの。人はみんな、生まれるとすぐに最初の衣服のようにそれを身にまとうのです。

でも、それとは別に、その人のほんとうの名前が身体の奥にあるのではないか。このおはなしはそんな発想から生まれました。

父方の祖母が亡くなったとき、骨粗鬆症《こつそしょうしょう》を患っていた祖母の骨は驚くほど量が少なく、もろく、大部分が崩れてしまっていました。それを見たとき、なぜか生きていたころは見えなかった、祖母の真の姿を見たような気持ちになりました。

名前が身体の奥にあるということは、本人には見えないということ。その名前を読める一族のものでも、自分の名前はわからない。その部分がこのおはなしの「転」になっています。

ここまでの2編は、空想の世界を描いていますが、日常を描いた140字小説でも、「起承転結」のようなものがあるのは同じです。わたしの作品には、日常のなかで感じたことを書いたものもたくさんありますが、そのなかのひとつ416を見てみましょう。

近所の家が取り壊されて空き地になり、向こうの風景が見えた。（起）
もちろんその場所だってよく通るところなのだが、こうして空き地越しに見ると妙に広く見える。心の中にもぽっかり空き地ができる。（承）
どこだってむかしは全部空き地だったのだと思う。（転）
なにもない平原が広がって、日が当たっていたのだと思う。（結）

家が取り壊されて空き地になる。町に住んでいる人なら、そうした情景を見たことがあるでしょう。だれが住んでいたのかは知らないけれど、家がなくなったことで、「かつてそこにあったこと」が妙に気になったりします。しかし、このおはなしの「転」は、どこでもむかしは空き地だった、というところです。人が家を建てるようになる前、世界はすべて空き地でした。家があって、なくなった。でもそれは、本来の姿に戻ったということなのかもしれません。

日常のなかで、だれでもこうした気づきを得ることがあるでしょう。小さなことでも、あたりまえのようなことでも、そう気づいたときにはっと驚くような瞬間のことです。その驚きの正体に迫り、言葉にするのはなかなかむずかしいことですが、それこそが「考える」ということだと思います。

気づきを言葉にすることができれば、それを「転」に置くことでおはなしに仕立てることができます。その気づきが日々を生きるなかですぐに役に立つわけではないかもしれませんが、言葉にすることで世界がそれまで以上にくっきりと見えてくるのです。

おはなしを作れるかどうかは、「転」を思いつくかどうかにかかっています。しかし、それで終わりではありません。わたしの場合、おはなしの種が浮かんでくるのは、散歩しているときだったりします。まわりの風景をながめているときに、「転」の部分を思いつくことがよくあります。それからその「転」を生かすための「起」や「承」を考えていく。そこまでは散歩の最中にできることも多いのです。

問題は「結」です。最初に思いついたとき考えた「結」は、たいてい深さが足りません。先にあげた416でも、「むかしは全部空き地だった」という発想のあと、それが「本来の姿に戻ったということかもしれない」と感じました。けれどもそれを「結」にしても、「転」の説明にしかなりません。そこからさらに粘って、空き地だったころのその土地に思いを馳《は》せることで、ようやく物語を閉じることができました。この最後の粘りが大事なのです。

「転」までいったん寝かせて、「結」を思いついたのは数日後、ということもよくあります。「起、承、転」の意識と離れ、少し高いところから自分の考えを見下ろすような心の動きが必要です。「結」によって着地点をのばすことが、いちばん頭を使うところかもしれません。

3　140字小説実作講座

できあがった作品を読むだけでは、どうやって作ればいいかわからない……。

そこで、読者の代表として140字小説初体験の編集・Kさんに実際に作品を書いてもらい、いっしょに推敲《すいこう》していく「実作講座」をおこなうことにしました。なにもないところからおはなしを作るのはむずかしい、とのことだったので、「本屋さん」というお題を出しました。

＊最初の作品

この町の風は甘いにおいがする。劣化した紙やインクが放つという、バニラのようなどこか懐かしいにおい。所狭しと立ち並ぶ古本屋を横目に歩くとき、わたしはいつも幼い頃の記憶を呼び起こされる。「好きな本を選んでごらん」色とりどりの本を前にそうささやく祖母の声が、吹き抜ける風に溶けて消えた。

数日後にKさんから送られてきた作品は、このようなものでした。

ほしお　とても素敵な作品ですね。これは、ホーム社のある東京・神保町の街の風景だと思いますが、どのようなところから思いついたのでしょうか？

K　おっしゃるように神保町をイメージして書いてみました。

「本屋さん」というお題をいただいた際に、どんな風景を切り取ろうかいろいろと考えてみました。幼いころから本屋さんに行くことが好きだったので地元の本屋さんにしようかな、とも悩んだのですが、いまのわたしにとって一番身近で、大小さまざまな本屋さんの立ちならぶこの街を主題にして作品を書いてみたいと思ったことがきっかけです。

神保町は社会人になるまでほとんど降り立ったことがなかったのですが、はじめて訪れたときからなぜかむかしからよく知っているようななつかしさを感じたのです。改めて考えると、それはこの街の匂いが関係しているのかもしれない、と思いました。

幼いころ我が家は祖母と二世帯で一緒に暮らしていたのですが、祖母の部屋には大きな本棚があり、そこにはたくさんの本がならんでいました。祖母の部屋は香水などとはまたちがう独特の甘い匂いがして、しばらくしてそれは古い本が放つ特有の匂いなのだと知り驚きました。

神保町を歩いていると感じるこの古本の匂いが、ふと幼い日のことを連想させる、その瞬間を切り取ろうと思って書いたのがこの作品です。

＊独特の着眼点

ほしお　古本の匂いが「甘い」。そこに目をつけたところがこの作品の面白さですね。本というとそこに書かれた文字や絵などの情報に目が行く人が多いのではないでしょうか。それから紙という材質や、印刷や製本の具合。古本となると、いつごろ作られた本なのか、とか、古びた紙の雰囲気。前の持ち主の書きこみなどにも目が行きます。また、店を見れば本が隙間なくずらっとならんでいる物量感、古書店街として見れば建物の古さなどにも心惹《こころひ》かれます。

でもこの作品は、古本の持つ「匂い」に焦点をあてています。そこが新鮮だな、と思いました。短い作品の場合はとくに、独特の着眼点があることが重要です。

そう言われてみると、わたし自身も、本の匂いには郷愁があります。海外の絵本は開くと日本の本とはちがう匂いがして、子どものころはその匂いが大好きでした。それで海外の絵本を見ると、まず開いて匂いをかいでいました。

しかし、古本が甘い匂いを放つものだということはいままで気づきませんでした。父がペイパーバックコレクターだったので、古本がたくさんある家に育ったんですが、なにしろしみついたタバコの匂いのほうが強くて、本自体の匂いには気づきませんでした（笑）。先ほど古本特有の匂いだと知って、とおっしゃいましたが、それはKさんが感じたことではなくて、一般的にそう言われていることなんですか？　Kさんはどこでその話を知ったのでしょう？

K　確かに本というといろいろな要素がありますね。わたしは迷わず「匂い」だったのですが、同じお題でほかの方がどんな着眼点で作品を書かれるのか気になってきました。１４０小説コンテストにはそういった楽しみもあるのでしょうね。

古本が甘い匂いがする、というのは子どものころに感じたことで、ずっとなんでなんだろうと疑問に思っていました。本ではないですが、ＣＤの歌詞カードも独特の香水のような匂いがするんです。それも不思議で気になっていました。むかしから印刷物の匂いが気になるタイプだったのかもしれません。ほしおさんにとってはそれが海外の絵本だったのですね。

とはいっても子どものころはまわりからあまり共感は得られなかったのですが、高校生のときに学校の司書さんにその話をしたところ、わかるよ！　と言ってもらえて、わたしだけじゃないんだ！　とうれしかった記憶があります。

大人になってから改めてネットなどで調べてみると、海外では古本特有の匂いとしてチョコレートやバニラの匂いがするとも言われていることを知り、古本の匂いを甘く感じるのは世界共通なんだ、とそこでもまた驚きがありました。

ほしお　子どものころから感じていたんですね。ある種の匂いに特別に敏感なのかもしれませんね。今回の「本屋さん」というテーマですぐに匂いに結びつける人はそんなに多くないように思います。人とちがうところに着目するのは、個性的でとても良いことです。さらにそれがKさんにとって大切な子どものころの記憶に結びついているので、時間的な奥行きも感じられます。匂いという感覚は記憶と結びつきやすいもののようですよね。

さて、この物語の場合、「古本には甘い匂いがする」というところがまずKさん独自の発見なのですね。実際に古本にバニラのような匂いの成分が含まれている、という研究があるところから、ほかの国でも見受けられる事実ではあるのですが、なかなか共感を得られなかった、という体験談もあったように、気づかない人も多いと思うのです。だとすると、もうそれだけで、このおはなしにはほかの人が気づかないような発見がこめられていることになります。

＊気づきと変化

ほしお　でも、このおはなしはそこで終わりじゃない。過去のお祖母さまにまつわる記憶にさかのぼっていくんですね。140字小説は短くても小説ですから、はじめと終わりで変化があったほうがいいんです。こうした日常の描写の場合、ある種の「気づき」を得ることで、最初と最後でものごとの見え方が変わる、という流れがあると、物語らしさが生まれます。このおはなしの場合、ちゃんと「気づき」があります。筆致もやわらかく、ふくらみがあって、古書店と子どものころの記憶がつながるという飛躍も素晴らしいです。

この作品のなかにはふたつの「気づき」があります。「古本の持つ匂い」と「この街の匂いが祖母の家と似ていること」です。でも、どちらも語り手にとって「すでに知っていること」として書かれていますよね。このうちどちらか片方を「いま気づいたこと」にすると、物語に動きが生まれるように思います。

古本の持つ匂いについてはそのままにして、祖母の思い出につながる部分を、いまこのときに「街の匂いが祖母の部屋の匂いと似ている」と気づく形にするのはどうでしょうか。いつも歩いている街の匂い。どこかなつかしい気がするが、なぜかはわからない。ところがふいに、その正体がわかり、祖母の記憶がよみがえる、という感じで。

K　確かに「匂い」に関する気づきと「匂いと思い出の結びつき」という気づきはどちらかに絞ったほうがピントがよりはっきりしますね。ご提案いただいた「この街の持つなつかしさは実は祖母の部屋の匂いと似ていることが由来だった」という方向で改稿してみます。

＊物語としての流れ（＝展開）

数日後、Kさんの改稿案が送られてきました。

《改稿案1》

この街の風はどこか懐かしい匂いがする。長いあいだ理由はわからなかったけれど、ある秋の帰り道、古本屋を横目に歩いているとふいに昔の記憶がよみがえってきた。「好きな本を選んでごらん」そうか、この懐かしさの源は祖母の部屋の本棚の匂い…いつか聞いた優しい声が、吹き抜ける風に溶けて消えた。

ほしお　改稿はいかがでしたか？

K　思ったよりも苦戦しました。ひとつの気づきを際立たせるために、元々の「古本の匂いが甘い」という要素はいったん外しました。１４０字というのが長すぎず短すぎずのボリュームで、この字数のなかでどのような表現ができるのか、自分のなかの言葉の引き出しと向き合うことにもなり、文章を書くための訓練としてちょうどいいものなんだと改めて感じました。

ほしお　わたしは、「甘い匂い」という要素はすごく大事なので外してしまうのはもったいないと感じました。あと、今回の改稿で少し説明的になってしまった気がします。形は前のままでよくて、気づく順番を整えるほうが良いかもしれません。

匂いから記憶がよみがえり、その正体をたどると祖母の部屋に、という流れにするのはどうでしょうか。さらに、「どこか懐かしい匂い」の「どこか」や、改稿前の「所狭しと立ち並ぶ古本屋」の「所狭しと」などは外すことができると思います。そうしたものを外すと、ほかのなにかを入れられますよね。最後の、「声が風に溶けて消える」という詩的な表現も素敵ですが、ここにお祖母さまへの思いをもっとはっきりと入れることもできると思います。

K　たしかに説明的になってしまっていましたね。祖母への思いを追加してみます。

＊要素を整理し、省くこと、書くべきことを考える

《改稿案2》

この街の風は甘い匂いがする。劣化した紙が放つという、バニラのような懐かしい匂い。立ち並ぶ古本屋を横目に歩いていると、ふと幼い頃の記憶がよみがえる。「好きな本を選んでごらん」色とりどりの本を前に囁《ささや》く祖母の声。そうか、これはあの部屋の匂いだ。祖母の想いが私をこの街に導いてくれたのだ。

K　あのころ、たくさん本を読んで本を好きになってほしい、と思ってくれていたであろう祖母の想いが時を経てわたしを神保町という街に、そして本に携わる仕事に導いてくれた、という文脈で作ってみました。

ほしお　お祖母さまのKさんに対する思い、Kさんのお祖母さまに対する思い、そのふたつが時を超えて交差し合う雰囲気が素敵ですね。お祖母さまがKさんに本の楽しさを教えてくれたことはその前の部分を読めばわかるので、「この街に導いてくれた」で終わるのではなく、その先にあるいまのKさんの姿が見えてくるとさらに深みを増すのではないかと思います。

あと、Kさんがいま本に関わる仕事をしていることは読者にはわからないので、そういう要素が感じられるといいですね。18文字で言えることはかぎられていますから、ここは言葉の力を増幅させるような比喩表現に頼ってみると良いかもしれません。

K　なるほど、いまのわたしの姿が見える比喩表現……。どんなふうに表現ができるかもう少し考えてみます！

ほしお　ゆっくり考えてください。ここはいちばんむずかしいところです。これだ！　と感じるひらめきを待ってください。数日寝かせることで思いつくときもありますので、あせらずに。

＊表現を微調整し、足りない要素を入れる

K　本を作る仕事をしていることが伝わる形で考えてみました。冒頭のこの街の風につながる形にできればと思いましたが、少しわかりにくいでしょうか？

《改稿案3》

この街の風は甘い匂いがする。劣化した紙が放つという、バニラのような懐かしい匂い。立ち並ぶ古本屋を横目に歩いていると、ふと幼い頃の記憶が蘇《よみがえ》る。「好きな本を選んでごらん」色とりどりの本を前に囁く祖母の声。そうか、これはあの部屋の匂いだ。私が手掛けた本もいつかこの風に溶けていくだろう。

ほしお　まとまりが良く、時の流れを感じさせる作品になったと思います。あとは、Kさんが編集者であることが読者に伝わるかどうかですね。あまり説明的になるのは良くないですが、たとえば冒頭を「私が働くこの街」とすると、語り手が大人で、仕事をしていることは伝わるかな、と思います。あと一息、微調整してみましょう。

《改稿案4》

職場のあるこの街の風は甘い匂いがする。劣化した紙が放つというバニラのような懐かしい匂い。立ち並ぶ古本屋を眺めていると、ふと幼い頃の記憶が蘇る。「好きな本を選んでごらん」色とりどりの本を前に囁く祖母。そうか、これはあの部屋の匂いだ。私が手掛けた本もいつかこの風に溶けていくだろうか。

K　いただいたアドバイスをもとに微調整してみました！　文末が「溶けていくだろうか」と「溶けていくのだろう」で悩みました……。

ほしお　素敵だと思います。「だろう」だと確定している印象なので、「だろうか」のほうが余韻があって良いように思いました。こちらで完成としましょう。創作してみてどうでしたか？

K　とりあえず完成してホッとしました。小説なので説明的な形よりはふわっと余韻を残したいと思いつつ、抽象的なイメージだけでは伝わりづらいところもあり、かぎられた文字数のなかでまとめることのむずかしさを感じました。また、普段物語を読むことはあっても、自分の言葉で書く機会がほとんどないので、書いた文章を見ていただくというのは緊張しました。

一方で、自分のなかでこれだ！　と思う表現ができたときはうれしいですし、読んでくださった方から率直な感想をいただけるというのはなかなか得難い経験だと思います。自分の書いた文章を掘りさげて推敲していくという体験も面白く、こういったことの積み重ねが創作の楽しみなのだと実感しました。今回はほしおさんからフィードバックをいただきながらの改稿でしたが、自分で推敲する場合に指針になるようなポイントはありますか？

ほしお　作品の内容やジャンルによって異なるところもあるので一概には言えないのですが、次のページにポイントをまとめておきますね。

まとめ

1 全体の流れをよく考える

小山がいくつもあると散漫な印象になります。どこかに大きな山を持たせましょう。

2 要素を絞り、順番を考える

なんでも詰めこむとのっぺりした印象になります。どの要素がいちばん大事なのかよく考えましょう。要素を出す順番も重要です。順番を整理することでわかりやすさが変わります。

3 修飾語を厳選する

なくても通じる修飾語はできるだけ省きましょう。それによって入れられる要素が増えます。修飾語が多いと、どこが重要なのかわかりにくくなるということもあります。ここだけはどうしても入れたい、くわしく表現したい、と感じる部分だけに絞ること。

4 言葉のリズムを徹底的に整える・意味がきちんと伝わるかチェックする

流れの悪い文章は頭にはいってきません。言葉を変えたり、順番を変えたり、文を切ったりして、なめらかに整えましょう。音読するのも有効です。的確な言葉選びと文章のリズムが内容の飲みこみやすさにつながります。はじめて読む人にも正確に意味が伝わるかチェックしましょう。

4　140字小説創作者座談会

参加者　四葩《よひら》ナヲコ、へいた、のび。
司会　ほしお、ホーム社編集K

ほしお　今日は140字小説の実作者の皆さんにお集まりいただきました。四葩さんは以前わたしがカルチャースクールで開いていた140字小説講座に参加され、その後も140字小説の冊子を作る活動を続けてきた方です。いまはわたしといっしょにオンライン文芸コミュニティ「星々」の運営に携わり、140字小説部門を受け持っています。へいたさんとのび。さんは、星々の140字小説コンテストの年間グランプリを受賞された方々です。お三方の作品は3章でも紹介していますので、ぜひご覧ください。
今日はそれぞれが140字小説を書きはじめたきっかけや、書くときに気をつけていることなどをお話しいただこうと思います。まずは皆さんの創作歴を教えてください。

＊創作歴

四葩　学生のころに創作の授業を取ったり、ブログがはやっていたころに短いおはなしや短歌を書いたりしていたんですが、その後は創作から離れていました。ツイッター連句をきっかけにほしお先生と知り合って、8年前、ほしお先生のカルチャーセンターの講座を受講して140字小説を書きはじめました。最近は5000字から15000字くらいの短編も書いています。

へいた　へいたと申します。noteというSNSでショートショートなどを書いています。高校時代に演劇部の台本を書いていて、大学になってからは大学の人形劇サークルの台本を書いていました。人形劇は大学時代に賞をいただいて、社会人になっても8年ぐらい続けていました。外部の方の台本を書く機会をいただいて、続けていたという感じです。

ほしお　どんなおはなしだったんですか。

へいた　へにゃという、「へにゃ」しかしゃべらない生き物と、ほにゃという「ほにゃ」しかしゃべらない生き物と、ふにゃりという、「ふにゃり」しかしゃべらない大中小の生き物がいる。その三匹がほにょもろろというでっかい魚を見つけるんですが、いろいろあってふにゃりがほにょもろろに月までぶっ飛ばされちゃって、みんなで大騒ぎするみたいな。

ほしお　楽しそうですね。

へいた　へにゃ、ほにゃ、ふにゃりとほにょもろろが出てくるから、タイトルは「へにゃほにゃふにゃりほにょもろろ」というんですけど、だれも正確にタイトルが言えないという（笑）。

実は人形劇をやめた一番の原因が過労でした。社会人生活と両立ができなかったんですよね。その後は仕事に専念していたんですが、コロナで会社の活動が縮小されて時間が空いたんです。それでｎｏｔｅをはじめました。当初は台本を書いていたんですけど、読む人がいなくて。台本を書いてもコロナで公演できなかったのもあって、ショートショートを書きはじめました。

１４０字小説はｎｏｔｅの宣伝のためにはじめて、歴はだいたい3年ぐらいです。

のび。のび。と申します。東北生まれ東北育ちでございます。創作の最初のきっかけは、小学校5年生のときに受けた国語の創作の授業でした。グループでおはなしを考えてみようという内容で、それまで読書が趣味で、ずっと本を受け取る側だと思っていたんですけど、書いたもので友だちが喜んだり、面白がったりするのを見て、自分も書き手側になれるんだと思って、それから休み時間に自分で話を書いて友だちに見せるようになりました。

ちゃんと作家になりたいと意識したのは、大学にはいってから。県の文学賞に応募して、賞をいただいたときに作家になりたいと改めて思いました。ここからがスタート地点だなみたいに勝手に思っていたんですけど、その後、とくに成果が出るわけでもなくて、十数年大きな動きがなく、創作やめちゃおうかなと思っていたときにツイッター（現X）で１４０字小説が流れてきて、応募しはじめたんです。そのとき読んだ作品は覚えてないんですが、単純に面白かったというのと、自分もまたなにか書いてみたいと思えたんですよね。１４０字という短さだったらもう一度物語を作ることができるんじゃないか、ツイッターで発信することもできるし、と考えたんです。

へいた　わたしはツイッターのアカウントは持っていたんですがなにもしてなくて、ｎｏｔｅが先でした。ｎｏｔｅがツイッター連携のサービスをはじめて、連携したはいいんですが、とくにアピールしたい日常もなかったので、書くことがなくて。それでツイッターでどんなことがされているのか調べたんですよね。俳句や短歌もいいかなと思ったんですけど、１４０字小説というものがあると知って、これがいいなと思ったんです。それで、お題を出している人たちがいるのを見つけて、参加していきました。ただ、自分に合うものと合わないものがあるので、お題に答えている人たちの作品を見て自分が好きなものがあるところを探していきました。

四葩　私は創作ありきじゃなくて、ツイッターありきで。

ほしお　ツイッター活動の一環としてはじめたということですか？

四葩　そうですね。ツイッターが大好きで。

ほしお　大好き……（笑）。

四葩　このあいだ長女が12歳になったんですけど、長女がお腹にいたとき、妊娠の経過も悪くて全然どこにも出かけられなくなって。そのときに情報交換ができると知ってツイッターをはじめたんです。そのころはずっと妊娠の経過をつぶやいているアカウントで、子どもが生まれてからは子どものことをずっとつぶやいていました。長女が3歳ぐらいになったとき、みんなが赤ちゃんの話でつながるのがいったん落ち着いて、ほかの人たちがアイドルの話とかドラマの話とかいろんなことを話すようになったんです。そのとき、あれ、わたしはなにが好きなんだろう、子どもの話以外のほかの楽しいことを見つけなくちゃ、と。そのときにちょうど140字小説の講座の話を聞いて、これだったらツイッターで発表できると思ったんです。

のび。いま思い出したんですが、わたしは140字小説の前に短歌を書いてました。「うたの日」というサイトに投稿していたんです。いろいろなテーマがあって、参加している人がおたがいに点数をつけていくんです。もともとはフォロワーさんに短歌を詠んでいる方がいて、自分にもできるかもしれないと思って作りはじめました。ツイッターで発表するとたくさんの人に見てもらえて、ファボ（現在の「いいね」）がついたりするのが創作の励みになりました。

短歌はいまもXで発表しています。短歌には「いちごつみ」というものがありまして、前の人が詠んだ短歌のなかの言葉をひとつ、たとえば、花という言葉がはいっている短歌を詠んだら、そこから花を取って次の歌をつくるんですね。ほかにもリレー形式の遊びもあります。フォロワーさんと五十首なら五十首と決めて楽しんでいます。それから、最近は140字小説を書いて、ちょっとずつ自信がついてきたので、コンテストに応募したり、自分で手で折ってホチキスでとめるだけですけど冊子を作って個人営業の書店さんに置いていただいたりとか。

へいた　わたしはｎｏｔｅにショートショートを発表しています。だいたい４００文字から４０００文字ぐらいのものを書いていて、あとは月に一回程度、どこかに公募に出すようにしています。それもだいたい４０００文字程度で、４０００字ぐらいが限度ですね。

＊日常の気づきをおはなしに

ほしお　それではいよいよ創作そのものの話に移っていこうと思います。まず、ホーム社のＫさんのほうからの質問があります。

Ｋ　ホーム社のＫです。皆さんが創作のヒントをどのように得ているのかなというのがすごく気になったので、まずはおひとりずつお話をうかがえればと思います。

四葩　わたしは日常のなかで気づいたこととかから書くことがいちばん多いですね。作品になったときに非日常的な設定になるときもあるんですけれども、だいたいは日々生きていて思ったことから発想してます。身のまわりの出来事からはいることが多いです。

ほしお　この本に掲載された荷造りのおはなしもそうですよね（本書　１３８ページ）。

四葩　荷造りの話はきっかけがふたつあります。ひとつは、最近の生活のなかの体験で。親がついていかないキャンプがあったんですが、娘がキャンプのための荷物を全然用意しようとしなくて。わたしが、もう今週だよ、これも要るんじゃないの、とか言っても、全然やろうとしない。そういう日常的な話です。そこに、最近の自分の心境が加わったんです。

わたしは「子どもを自立させるのが子育てのゴール」だとずっと思っていて、いつか手を離すためにあれもこれも全部教えなくちゃと、子どもが小さいときからずっと考えていたんですけれども、最近上の娘が思春期になって、わたしが言ったことをその通りに受け入れてもらえなくなってきたんです。こういうふうに育てよう、いろんなことを教えなくちゃいけない、とずっと思っていたんですけど、わたしが与えたものをこの子が選ぶとはかぎらないんだ、と。急にちがう段階にはいった実感があって、そのことがあわさってあの作品になりました。わたしが教えたものを持っていってくれるかどうかは子どもが決める。でも、持っていってくれなくてもわたしは言い続けなくちゃいけない、みたいなことです。家族のこととか、日常的なことが組み合わさって話になるというのが多いですね。

＊わからないことリストをためておく

へいた　わたしは、本を読んで疑問に思ったこととか、日常でほかの人とか物事を見ていて、この人、こういうところがなんか愛《いと》しいな、と思ったりしたときに、その感覚をずっと覚えているというか、どこかに書き写しておくたちなんです。それで、書こうと思ったときに、そのカードのなかから一個持ってくるみたいな感じです。書きこんで考えたことをずっと覚えているんだと思うんですよね。書きこんだときはわからないんですが、あとになって、これってこういうことなんじゃないのかな、とちょこっとわかるときがあって、わからないことのリストのなかから一個抜いて書く、みたいな。

ほしお　そのわからないことのリストは、いまいくつぐらいあるんですか。

へいた　全然わからないです（笑）。ある日突然、あっ、て気づくんですが、いつも見えているのは二、三個ぐらいだと思います。

ほしお　表には出てこないんだけど、数えられないようなカードが頭の奥のほうにあって、なにかと出合うと、そのなかから一枚ひらひらっと出てくるみたいな感じですか。

へいた　そんな感じですね。

ほしお　わからないことというのが、へいたさんにとってはすごく大事なんですね。

へいた　わからないことを、なにがわからないのかごそごそ探る作業が書くことなんです。正解にはたどりつかないんですが、わからないことに少しでも届いたら、ああ、書けた、と思う。

ほしお　最近、わからなかったことが書けたという経験はありましたか？

へいた　ありました。わたしはこれまで男の子視点の話を書くことが多かったんですけど、去年のクリスマスにネズミの物語を書いたときにその理由に気づきました。そのネズミは人間の男の子の姿をしているのですが、相手の願いをかなえる代わりに相手をネズミの姿にしてしまう、という……。長いのであらすじがうまくまとめられないのですが。

私にはもともと兄がいて、小っちゃいころに亡くなっているんです。私は男の子になりたいと思って育ちました。それは兄の代わりがしたかったからなんだと気づいたんです。ずっと家族というものについて考えて話を書いてたんですが、この話を書いているときに、自分が男の子の視点で描いているのは、兄の代わりをつくろうとしていたんだ、とわかりました。これまで書いていたのはみんな自分の兄なんだ、と。すごい重たい話なんですけど、それまでわからなくてふわふわしていたのに、最後まで書いたときにぱっと抜けた感じがしました。

ほしお　名づけようのない感情に形が与えられる瞬間があったということですか。

へいた　それが何なのかもよく説明ができないんですけど、書くことによってなにか自分のなかでふっと抜けたみたいなときがあるんです。毎回毎回そうはならないんですけど。

ほしお　さっき頭のなかにわからないことがたくさんあるとおっしゃっていましたけど、書くことでその正体が見えるということでしょうか。でもどうしてそうなるかはわからない。

へいた　「あっ」と思う瞬間はあるんですけど、その疑問がなんなのかはっきりはわからなくて、同じような「あっ」が三、四個そろったときに、なにに対する疑問なのかがわかる感じです。

＊自分の見たもの、聞いたもの、創作物を参考に

のび。　わたしは生活のすべてというか、自分がふだん見たもの、聞いたもの、それと自分の好きな小説とかエッセイとか、漫画、映画、アニメ、海外ドラマ、バラエティー番組、テレビゲームとか、自分の好きなものの好きな部分を取ってきて、合わせて書いているみたいな感じが多いですね。こういうシーン格好いいなとか、こういうキャラクター好きだなとか、この景色きれいだなとか、こういう文体の流れが素敵だなとか。

ほしお　最近の作品にもありますか。

のび。　たとえば、星々で大賞をいただいた船の作品（本書　152ページ）とかは、いくつかあるんですけど、たまたまなにかで小津安二郎の映画を見て、家族がそろっているシーンとか、茶の間の感じとか、お葬式のシーンではないですけど、ちゃぶ台があって、人が座っていて、みんな目線は合ってないけど話してて、みたいなところとか。あと、死んだ人が三途の川を渡るとき船に乗りますよね。その船のこぎ手になるというテレビゲームがありまして。生前仲よかった友だちを乗せて、その友だちたちの願いをかなえながら旅をするという内容なんですが、そのゲームがすごく素敵なんです。キャラクターがかなりたくさんいるんですけど、みんな人間臭くて、それぞれ願いがある。それをかなえていくんですけど、真っすぐ冥土に連れていかずに、コーヒーが飲みたい、という人のためにコーヒーを作ったりとか、こんな料理を作りたいな、という人のために野菜を育てたりするんです。そういう融通がきく感じから、船がわざと遅れてくるというところにつながって。鐘を鳴らすのも、そのゲームからの着想です。

あと、自分のなかの願いというか、生と死にまつわる話が多いです。自分のまわりで不幸が続いたりとか、すごくよくしてもらって仲のよかった祖父母が亡くなっているんですが、死んだあとのことってわからないじゃないですか。大事な人が亡くなっちゃって残された我々は当然悲しいんですけど、亡くなったあとの人がどうなっているかわからなくて、だったら楽しくやっているほうが、亡くなったばあちゃんにもいいし、残された自分にも、これから死ぬであろう自分にもいいなみたいな。死に対して希望をこめるというか、そういう気休めみたいな部分も入れられたらなと思いながら最近は書いているという感じですね。

K　皆さん生活のすべてというか日常からヒントを得ているということで、いろいろアンテナを張って生活されているのかなというのはすごく感じましたし、それはこれから創作に取り組まれる方も持っていると良い視点なのかなという気がしました。

ほしお　書くためというより、生きていくために必要なのかもしれませんね。日常で出合うことのすべてについてきちんと対応できるわけでもないし、飲みこめるわけでもない。どうしても飲みこみ切れないものにも日々出合うじゃないですか。子どものころは、そういうときに、なんで飲みこめないんだって暴れたりしますが、大人になるにつれて、だんだん、これは飲みこめないやつだな、と見当がつくようになる。あきらめて流していけばそれで終わりですが、なんとかして飲みこめないかな、と足掻《あが》くこともありますよね。結論を出せないものでも、小説の形にすることならできる、ということはあって、それが大事なのかな、と思います。

＊自分の気持ちを徹底的に掘りさげる

K　創作のためになにか努力していることはありますか。

四葩　努力はあんまり……。努力しなくちゃ、とは思っていますが。でも、もやもやしているものというか、ふだん暮らしていて気持ちに引っかかるものがあったときにその中身をちゃんと考えようと思っていて。あのときどうしてむかついたのか、みたいなことですかね。相手が失礼だったからなのか、そのことで自分が傷ついたと思っているのか、自分の大事ななにかをおとしめられたと思ったのかを、分析するというか。そうしたことがあとでおはなしになるときがあって。結局、自分の感情しかわからないんですけど、どうしてこういうやり取りで終わっちゃったんだろうとか、そういうひとり反省会みたいなことをよくしています。

ほしお　人はたしかに自分のことしかわからないんですが、自分にしかわからないことだからこそ、自分で考えるしかないんですよね。人からは教えてもらえない。

四葩　わからないままそっとしておくよりは、わかっておきたい、と思います。創作のための努力と言えるかはわからないんですけれども。

ほしお　四葩さんは短編でも、感情の動きの分析がとても細かいんですよね。そこが良さにつながっているので、鍛錬の成果が出ているんじゃないかなと思います。書くための鍛錬というより、生きるための鍛錬だと思いますが、だからこそ意味があるんですね。

✳書くことをコントロールする

へいた　ちょっと変な言い方なんですけど、わたしは書くことがとにかくすごく好きなので、それを恥ずかしいと思わないように、ちゃんと生活とか仕事をすることですね。時間をつくるために、ほんとうにやりたいこと、必要なことしかやらないとか、しっかりスケジュールを立てるとか。書くことがとにかく好きなので、放っておけばなにか書いているんですけど、それをコントロールすることにいちばん労力をかけています。うしろめたい気持ちにもならないぞ、と。

社会人人形劇をやっていたときに過労で倒れて、仕事を休むことになってしまったというのもあります。働かないで劇団に集中するわけにもいかない。かと言って、家族のためにたくさん仕事をしたというわけでもない、みたいなうしろめたさがずっとありました。だから、後悔というか、自分が好きなことに対してうしろ暗い気持ちを持たないように生活することを心がけています。

ほしお　それは大事なことですよね。書くことに誇りを持てる強さがすごくいいなと思うし、だからこそそれをちゃんとコントロールしていこうということですよね。

へいた　倒れてもまだやっている時点で、好きであると言わざるをえないというか。でも、これからは書いているせいで身体を壊して、みたいなのは絶対嫌だな、と。職業にしろ、大学入試にしろ、学部時代にしろ、私、あまり記憶力がよくないんですけど、試験はだいたい作文で通っているんですよね。自分の唯一の取り柄みたいなところで、自分の柱なんですね。なくしたくない柱なので、もう二度と折りたくないな、と。

＊具体的な目標を作る

のび。　わたしは、努力していることが四つあるのかなと。ひとつ目が、好きなものとか気になったものがあったら、なるべく見にいったり聞いたりすること。

ほしお　ほかの創作物からなにかを拾ってくるというか、そこから刺激を受けて思いついたりすることというのはすごく大事ですね。

のび。　ふたつ目は、へいたさんの話と重なる部分もあると思うんですけれども、健康でいることですね。身体だけじゃなくて心身といいますか。病気をしたら文章を書くことができないですし、下世話な話ですけど、お金がないとやっぱり心はすごく荒《すさ》むので。なので、なるべく好きなものを食べられて、必要なときにお金がないみたいなことにはならないように、心身をちゃんと整えておく、身のまわりを整えておくということ。

三つ目は、努力して目標を設定していくこと。わたしはさぼりぐせがあって、これまでの創作もそれで駄目にしてきてしまったんですね。連載みたいなのをブログで書こうと思ったけど、途中で投げ出してしまったことが何度もあったので、いまは具体的に次の目標を決めるようにしてます。次はこのコンテストに出すからこの作品を書こうとか、この作品は何文字で出す作品だから、これぐらいのスパンで書いていくとか、常に決めておく。星々の１４０字小説コンテストが、いまは年に4回ですけど、以前は毎月あったので、それですごく鍛えてもらった、という気持ちがあります。最初は5作品までだったんで、毎月必ず5作品出そうという気持ちでやっていました。

四つ目は、１４０字小説からはちょっと外れますが、短歌から小説を思いつくことも多くて、常に見たものとか感じたことを5文字か7文字に置き換える努力をしています。これは5文字じゃないなとか、トウモロコシは6文字だなとか（笑）。そういうのをたくさんノートに書いて、その組み合わせで五七五七七を作る。創作の面で努力しているのはそういう部分ですね。

ほしお　コンスタントに書くとか、ちゃんと生活とバランスを取っていくこと、のび。さんもへいたさんもすごく意識してされているんですね。四葩さんはお子さんもいらっしゃるし、そうしないと生活していけないというところもあると思いますし。

K　長く続けるためには大事なことなんですね。

ほしお　そうした姿勢がその人の創作物の質を決めていくところもあるなと思いました。

＊大事なことと要らないことを見極める

ほしお　推敲のときに気をつけていることを教えていただけますか。四葩さんは１４０字小説のコンテストの選考もしているので、ほかの人の作品についていろいろ思うところもあるんじゃないかと思うので、そのあたりも含めて教えてください。

四葩　１４０字のなかで説明できることはすごく少ないので、大事なことと要らないことをまちがえちゃいけない、というのが大きいですね。要らないことは全部切っていい、というのも、１４０字小説の楽しさだと思っていて。もっと長かったらどれだけでも書いちゃうんだけど、これは要らないな、ってばさばさ切っちゃっても、１４０字にはいりきらないんだからしようがない、と思える。ここ全部消しちゃえ、というのは、けっこう楽しいんです。そうするうちにはじめの着想から離れたところに着地しちゃうということもあります。作品のなかで具体的な名詞が大事だったのか、ここにあった気分みたいなものが大事で、そっちを伝えたかったから具体名のほうは要らなかったのか、とか。
あと、自分にとって大事だったことと、読んでいる人が受け取ることはちがうと思うんですよ。選考に携わっていると、この人はこのことが自分にとって大事だから残したんだな、とわかるときがあるんですが、でもそれは読んでいる人にとっては受け取れない思い入れです、と感じることもあるんです。結局さじ加減みたいな話になっちゃうんですけど。いまここでなにを大事にして、なにを切るかということですね。

ほしお　その見極めはむずかしいけど、いちばん大事なところですね。140字小説は短歌や俳句にくらべたら長さがあるんですが、やはり短いので、大事なものがふたつあると、山がふたつになってひとつひとつが小さく見えてしまいますよね。見極められるようになるには、数を作るというのも大事かもしれないですね。最初の一作はあれもこれも入れたくて、捨てきれなくなってしまうけど、たくさん作っていると、この要素はまた別のに入れればいい、みたいな気持ちになってくるというか。

＊推敲のときは冷酷な読者に

へいた　四葩さんの話と少しかぶるんですが、これは説明しなくてもわかるという思いこみがないか、物語上不要なのに私的な感情で説明し過ぎているものがないかという、書き過ぎと書かな過ぎの両方に気をつけています。推敲のときには、冷酷な読者でいるようにする。自分に対する温情を持たないようにしてます。苦労した要素をごっそり消して読む、みたいなことがどこまでできるか。推敲のときにずっと考えていることですね。

のび。ずっとうなずいてました。やっぱり自分だけがわかる話にしないというか。最初に１４０字小説と出合ったころの作品って「俺の好きな世界を見てくれ」「俺の好きなこの感じを聞いてくれ」というのが多くて、世界観づくりに終始して１４０字終わっちゃうことが多かったんですけど、ほしおさんがおっしゃったように、作り慣れていくうちに嘘のディテールがよくなっていくというか、わたしだけが知っているんじゃなくて、わたしもだれかから聞いたような、読んだ人も知らない話だけど聞いたことある気がするとか、こういうことはあるかも、と思ってもらえるような作り方ができるようになってきました。

書いているときはある程度引いて見なくちゃいけないとは思うんですけど、最終的には寄り添うというか、読者の目線に立ったときに置き去りにしないというか。たぶん置き去りにされるのが好きな人もいるんですけど、それは長編のときの話で。やはり皆さんが話されてたように、いったん引いて作品を見て、伝えたいことを書くみたいな、枝葉を切っていくみたいなことが推敲では大事だし、気をつけていると思います。

Ｋ　やはり自分の世界で完結しないというか、そういうことは大事だと思いますし、伝えたいことと要らないことをきちんと区別して、というのは、今回わたしも作ってみて感じました（本書92ページからの実作講座）。

ほしお　とても素敵な作品でした。書き過ぎたところを削るのも大事ですが、これじゃ伝わらないよ、ということも多いと思うので、へいたさんがお話ししていたように「書かな過ぎ」「書き過ぎ」の両方に気をつけなければいけないんですよね。最初のうちは、そもそもこの内容は140字ではあらわせないよ、という題材を選んでしまうこともあります。題材の大きさを見極めることも大事ですね。140字で書きたい世界を伝えつつ、感情を揺さぶるような作品を書くというのはなかなかむずかしいことですね。

＊思い入れのある自作

ほしお　皆さんそれぞれすでにたくさんの140字小説を作られていますが、そのなかでとくに気に入っている作品、思い出深い作品を教えていただけますか？

四葩　わたしは書くことについての話をいくつか書いています。自分が創作することに関しての話ですね。とくに思い入れがあるのは、名刺の裏に載せている作品です。

たぶん十代のはじめだった。冬の夜空を見上げて「あの星はきっと冷たくて甘い」と私は言ったのだった。「この子はおかしな本の受け売りばかりだ」と家族は笑った。あの頃土に埋めたものを掘り返す作業をしている。とても柔らかいものだからほとんど崩れてしまったけれど、欠片を見つけては持って帰る。

さっきへいたさんが、書くことがうしろめたくないように、とおっしゃったんですけど、わたしはけっこう書くことがうしろめたくて（笑）。素敵なことを言うのがこっ恥ずかしいというか。かなり初期に書いた作品で、箱のなかにたわしとかボールペンとかに混じって星がはいっていて、わたしはそれを先には手に取れないけれども、手に取ることができる人がいる、という趣旨の話を書いたこともあるんです。

その箱には、移植ごてやたわしやボールペンに混じって、青く光る星が入っていて、それを真っ先に手に取ることができる人達のことを、私は苦々しく思っていた。いや、むしろ羨ましく思っていたのではなかったか。私の鏡には普段星は映りこまないからと呟く。安全ピンを並べる。夜には青い星の夢を見る。

すぐに素敵なものを選べる人がいますよね、でもわたしはそうじゃない、という感じの話なんですけれども。たぶん、コンプレックスというか、素敵なものを素敵と言えないという引け目をずっと感じているのかな、と思います。それをずっと抱えたままで。

へいた　自分の作品で思い入れのあるものというと、どうしても星々で賞を取った牛の作品が出てきます（本書　136ページ）。まず、賞をいただいたときにびっくりしたんです。わたしはあんまりきらきらしい文章を書かないですし、幻想的な文章を書くわけでも文学的な文章を書くわけでもないので、こういう賞にはいらないんだろうと思っていたんですよね。文に強さのある方が140字小説を書くケースがけっこうあると思うんです。そういう方たちのようにはできないな、と。だから賞をもらってうれしかったということもあるかなと思います。

あとは「橋のつくり方」という作品です。

140字ちょうどで折本のつくり方を説明するという、落とし話みたいな。それを文学フリマに行くときに折本で作ったんです。一編の話でもあり、折本の作り方でもあり、わたしとあなたをつなぐ橋でもあるよみたいな。文学フリマとかSNSもそうなんですけど、ものを通してみんなが手紙を交換しているみたいだなと思っていて、この作品はそのなかにはいるための名刺のつもりでした。だれもわたしのことを知らないけれど、自分はこれを書く人ですよ、という名刺代わりに作ったものなので、思い入れがありますね。

「橋のつくり方」
Ａ４の紙を用意しましょう。縦におきます。縦半分に折り、今度は横に半分、もう半分。広げて、８つに分かれた紙に何か書きましょう。詩でもお話でも漫画でも。縦の折り線を中央の２コマ分だけカッターで切ります。折り直して、ほら、できた。折本。あなたと誰かを繋ぐ橋。

のび。おふたりのあとに話すのすごい恥ずかしいんですけど、自分の作品、全部好きなんですよ。選んだほうがいいと思って選んでみたんですけど、三つも選んじゃって。全部星々に応募した作品なんですけど、ひとつ目は２０２０年の3月の「芝さん」という作品です。

芝さんは誤解されている。一八〇センチの長身で驚くほど猫背で額に大きな傷がある。その顔を見れば子どもは泣き、犬は吠え、猫は逃げ出す。芝さんは毎週日曜の深夜にインターネットラジオで本を朗読する。その声は優しくて力強くて人を救う。でも誰も芝さんのことは知らない。芝さんは誤解されている。

ふたつ目が、9月に送った「知恵の実」。140字小説のことをまったく知らなかったフォロワーさんがすごくいい話を読みました、と言ってくださって、すごくうれしかったのを覚えています。三つ目は、そば屋に行って無職の幽霊と会う話です。

知恵の実と呼ばれるその貴重な果物を、現地の人々はみんな酒に漬け込んでしまう。聞けば、そのまま食べると頭が良くなり過ぎてしまうからだと言う。出来の良い知恵の実酒は、主に葬式で盛大に振る舞われる。皆で少しだけ馬鹿になり、明るく死者を弔い、そして来たるべき喪失の痛みに備えるのだ。

無職のお化けに会ったことがある。駅前の蕎麦屋《そば》でだ。「周りが定職につけと五月蝿《うるさ》いのです」とお化けが言うので自分も無職だから気持ちが分かると言うとお化けは酒を奢《おご》ってくれた。それから何度かその店へ行ったが、再びお化けに会うことはなかった。仕事に就いたのかもしれない。未だ私は無職である。

全部好きだけど、選んでって言われたら三つお出しする、のび。3点セットです、みたいな。

＊ほかの人の作品で印象深いもの

ほしお　ほかの人の作品で印象深いものはありますか？

四葩　いっぱいあります。ほんとうはこういうのが書きたいんだというのは、２０２３年１月に星々の１４０字小説コンテストで一席を取った酒部朔さんの作品ですね。

獣のうたを作ろう。泥で固まった毛皮の、内側はふわふわの白毛の。遠吠えをして、連鎖した時の震えるほどの嬉しさ。定めなどないスピードで走ろう。雪に足跡をつけよう、途方もない量の足跡を。長い一本の線を刻みつけよう。肉を嚙《か》みしめて血を舐《な》めとって、そうやって生きてきたんだ。そういううたを。

（星々3号　１５２ページ）

四葩　自分にはこういうのは書けないので、うらやましいなと思いました。野性的で、手触りや体温が感じられて、五感に訴えてくる作品です。自分は理屈を考えてしまうので、そうじゃないものでがんがん圧倒してくるみたいな作品に憧れがあるんですね。

へいた　わたしは２０２０年12月のｋｉｋｋｏさんの作品です（本書　１５８ページ）。わたしには文章の表現的に強い作品がないんですけど、書けないということもあるんですよね。だから憧れがあって。星々に応募すると決めたとき、それまでに入賞した全作品を読んで、ここを目指すんだというものを全部書き写したんです。そのとき最初に書き写した記憶がある話ですね。雪の死骸が「きれい。死んでいても」という文がすごく印象に残る。書き写しても別にそれが身につくわけではないんですけど、強く心に残る部分がある作品に憧れがありますね。のび。わたしは、ほんとうに投稿者全員をライバルだと思っているんです。だからなかなかむずかしい質問なんですが、傾向として、自分は現実と空想が混じり合っているというか、自然に空想がはいりこんでいるような作品が好きなんですね。直近だと夏の星々にサイトから応募していたしろくまさんという方の作品です。

遠い昔、この土地には水神様がいた。水神様のおかげで田畑はうるおい、村人たちは毎日おいしい食物と水を得ることができた。そんな水神様はもういない。十年前に神を辞めて、普通の人間となってしまったのだ。今は、我が家の水道水をおいしくしてくれる便利で優しい私の旦那である。いつもありがとう。（星々4号　186ページ）

あと、2022年の10月のへいたさんの佳作がすごくかわいくていいな、と思いました。

ナマケモノが隣の森の友達に会いに行くことにしました。大事な用があったのです。住処《すみか》の木を降りるだけで半日。隣の森まで一週間。目的地に着く頃には用事をすっかり忘れていました。「着いたよ」ナマケモノが言います「着いたね」友達も言いました。それから2人で同じ木で眠りました。いい夜でした。（星々3号　130ページ）

それから、ちるさんという方の作品もすごくよくて。

子供の頃、隣に住んでいた自称発明家のおじいさんから、万歩計のような機械をもらった。振っても数字は増えない。人に優しくしたら増えたときもあったが、変わらなかったときもあった。一日中ごろごろしていたら、すごく増えたこともある。これが一体何を測る機械なのか、大人になった今もわからない。（星々2号　209ページ）

全体に作品に現実と空想の境目がないというか、軽く飛び越しているような感じがして好きだなと思いました。

ほしお　コンテストの運営に携わっている四葩さんは、これまでの選考で感じていることはありますか。

四葩　コンテストをやっていて、いつもいい作品がたくさん届くんですけれども、選考ということになったときには、やはり自分にとって驚きがあるものが読みたいという気持ちがまずあります。でも、あたらしさだけが大事ではないというか。

月ごとにテーマの文字があるので、どうしてもモチーフが似てきちゃうところもあるんですよね。結局、恋は切ないとか、秋はさびしいとか、これまでいろんな人が言ってきたことをなぞり直すようなところはあるんですが、同じテーマの文字で同じようなことが頭のなかをよぎることがあるとして、それをこれまで言われてきたとおりにただなぞったものと、同じことかもしれないけれどもちゃんとその人のなかをめぐって出してきたものとはちがうのかなって思っていて。この人が思ったことなんだな、という自分らしさみたいなものがあるんだと思うんですけど。だから、あたらしくなくても、知っている感情をこんなにしっかり書いてくれた、みたいなものもちゃんと見つけなくちゃ、取りこぼしちゃ駄目だな、と思っています。

ほしお　皆さん、有益なお話をありがとうございました。最後に要点をまとめておきますね。

まとめ

着想について

1　日々のなかで「わからないこと」を流さずに書き留めておく。
2　自分の気持ちを徹底的に掘りさげる。
3　積極的にほかの人の創作物に触れる。

創作と生活について

1　好きなことを続けていくために、「書く時間」を制御する。
2　心身ともに健康を保つ。
3　創作に具体的な目標を作り、それを達成するよう努める。

表現について

1　140字で表現できる題材を選び、ほかの人にきちんと伝わる言葉で書く。
1　入れなければならない要素と入れなくていい要素を見極める。
3　推敲のときは自分の感情にとらわれず、冷酷な読者に徹する。

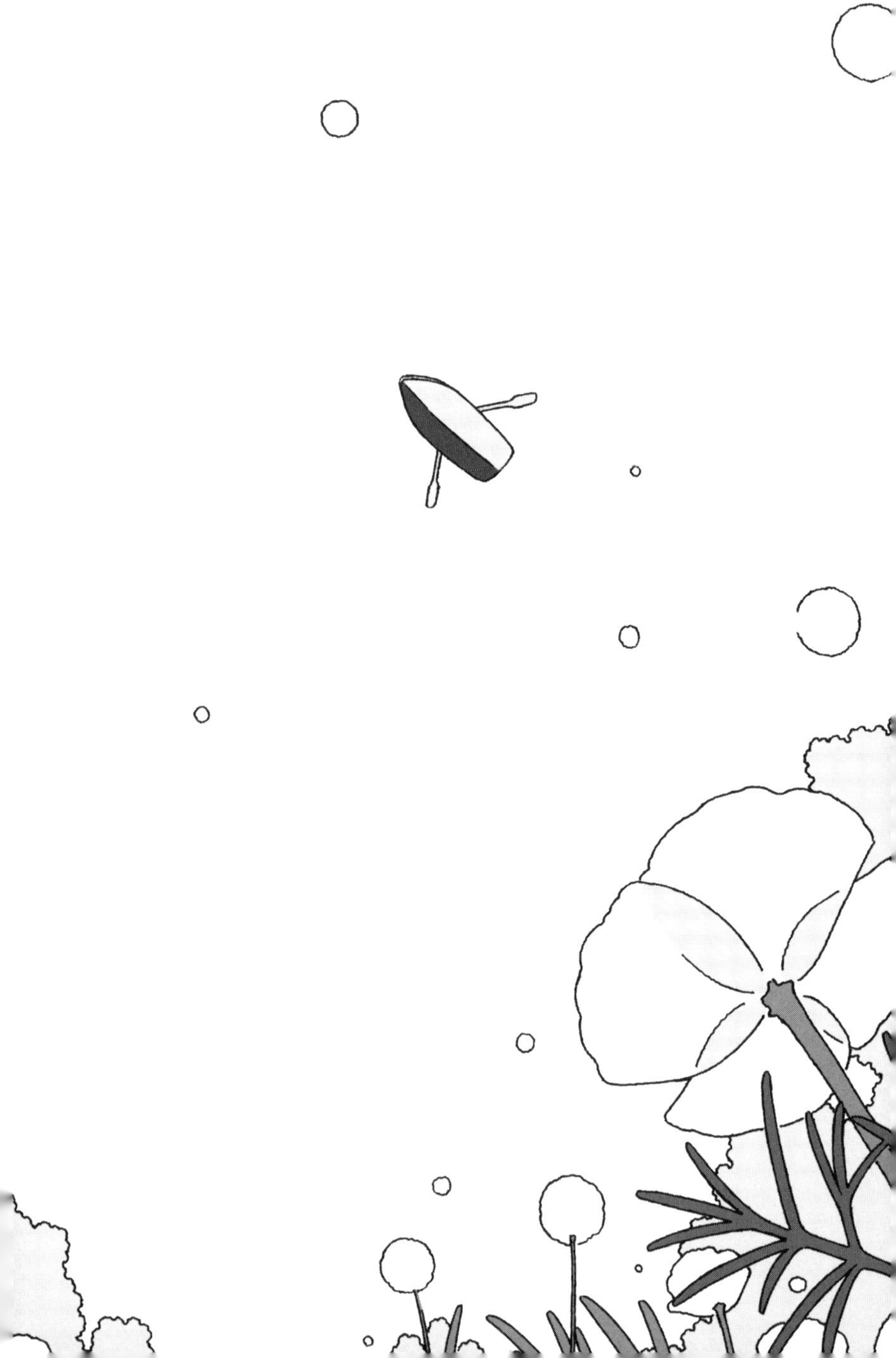

第3章 書いてみよう 実践編

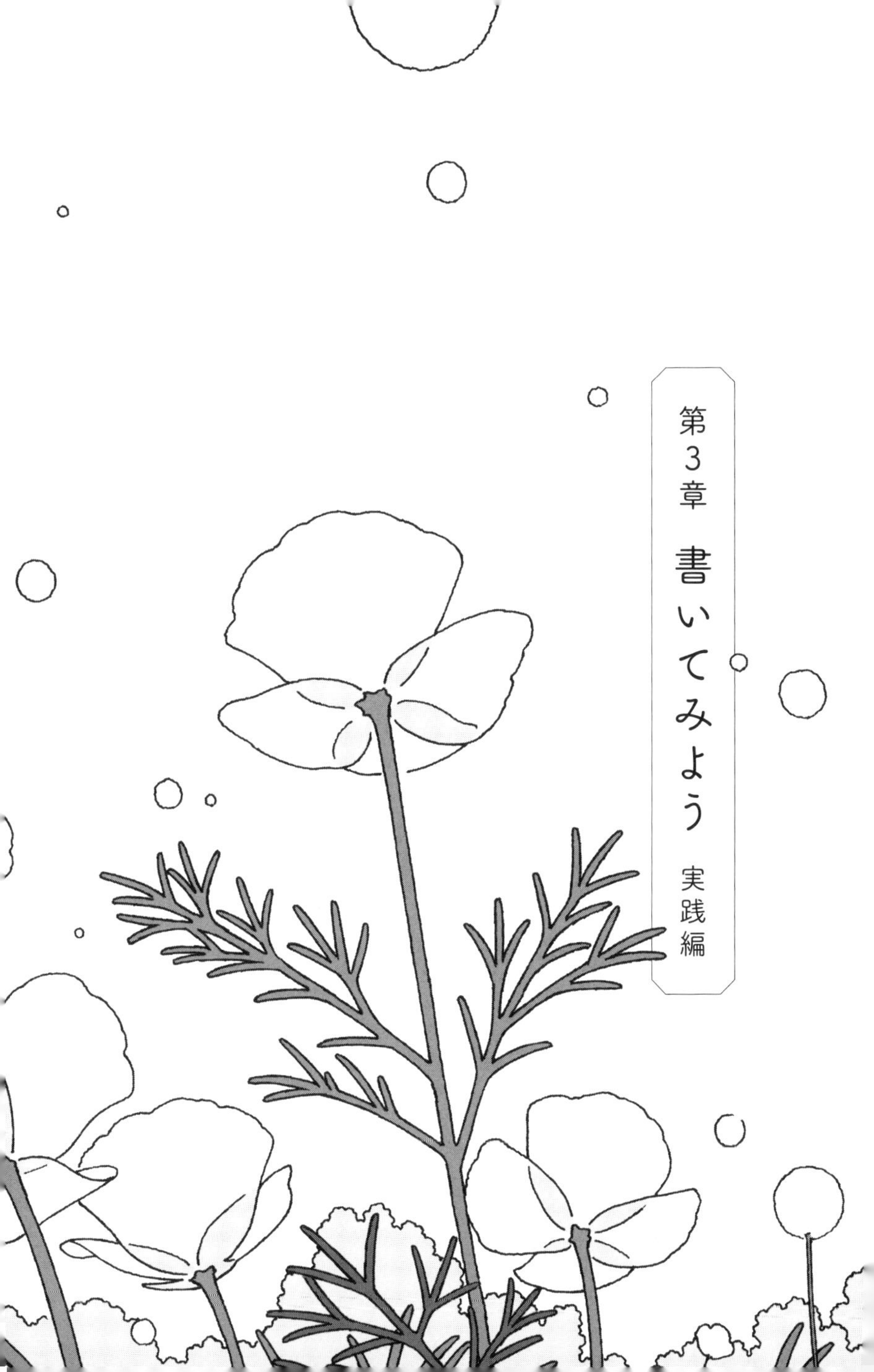

1　ほかの書き手たち

この章では、わたし以外の人の作品をご紹介していきます。

2020年、わたしは「星々」というオンラインの文芸コミュニティを立ちあげました。それ以前から、大学の教え子たちが作った文芸創作サークル「ほしのたね」、カルチャースクールの受講生たちが作った「lotto140」、「爆弾低気圧」というサークルとともに、雑誌を作って文学フリマに出店するという活動を続けてきたのですが、コロナ禍によってイベントの開催もむずかしくなり、活動が立ち行かなくなってしまいました。

そこで三つのサークルと相談し、自分たち以外の人にも参加してもらえるようなオンライン上の活動をしていくことを決めました。それが「星々」のはじまりです。活動内容として最初に思いついたのが読書会と創作合評会、そして140字小説コンテストでした。

140字コンテストでは月ごとのテーマの文字を定め、毎月ひとり5編までで140字小説を募集することにしました。最初は作品が集まるのか不安でしたが、参加者は少しずつ増え、毎月素晴らしい作品が寄せられるようになりました。応募総数が増えてきたため、現在は年に4回の開催、応募はひとり3編まで、となっています。

応募作品はすべて星々のｎｏｔｅに掲載したのち、入選作3編と佳作7編を選びます。作品と選評をサイトに発表し、予選通過作とともに年2回発行の雑誌「星々」に掲載しています。

コンテストで多くの方の１４０字小説と出合い、わたしは大きな驚きを感じました。そこにはわたしが想像できなかった多様な世界がありました。こんなに幅の広い表現方法だったのかと目を瞠《みは》り、これらの作品をもっと遠くまで届けたい、と感じました。

この章で紹介する作品は、ほとんどがそのコンテストで選ばれたもので、個性あふれる作品ばかりです。作品とともに、賞の選評より少しくわしい解説をつけています。見事な仕掛けに驚いたり、心を揺り動かされたり、読むだけでも楽しめるのですが、作品にこめられた工夫を読み解くことで、魅力的なおはなしを作るテクニックを学ぶこともできるでしょう。

物語のタネは実に多様で、世界のあちこちに落ちています。それを見つけることが創作のスタートです。そして着地点をどこまで伸ばせるか。優秀な作品は発想だけでなく、その後のひねりが素晴らしいのです。

物語を味わいながら、表現の工夫にも目を向けていただけたら、と思います。

2

自分の驚きの正体をとことん追求する

熊本を訪れたとき山道に大きな牛がいた。赤牛だ。パンフレットで見た。放牧されている。私を見ても微動だにしない。近寄ると量感でずしりとくる。私の上半身程もある頭でこっちを見る。昨夜旅館で食べた肉を思い出す。こんなに大きい生き物を私は食べたんだ。牛は草を食《は》んでいる。一礼して通り過ぎる。

へいた（星々2号　224ページ）

旅行中、山道で牛に出合ったときのおはなしです。牛の大きさに驚き、昨日その牛を食べたことを思い出す。だれにでも起こるような出来事を平易な言葉で描いていますが、決して「ありきたり」ではありません。それはなぜでしょう。起承転結に分けて考えてみます。

熊本を訪れたとき山道に大きな牛がいた。（起）
赤牛だ。パンフレットで見た。放牧されている。私を見ても微動だにしない。近寄ると量感でずしりとくる。私の上半身程もある頭でこっちを見る。（承）
昨夜旅館で食べた肉を思い出す。こんなに大きい生き物を私は食べたんだ。（転）
牛は草を食んでいる。一礼して通り過ぎる。（結）

牛と出合い、自分が食べた牛と同じだと気づいたときの驚きがこの作品の「転」であり、核になる部分です。小さな自分がこんな大きな牛をあたりまえのように食べた。その違和感をどう解釈するか。罪悪感、人間の業、さまざまな言葉が思いつきますが、どれもありきたりな印象を与えるでしょう。牛は草を食み、語り手は「一礼して通り過ぎる」。この「一礼」という言葉に、感謝や畏怖、人間の傲慢さを恥じる気持ち、すべてがこめられています。語り手は「一礼」するしかなかった。身体の奥から出てきたこの動きが、この作品を輝かせているのです。

3

日常の気づきから自分を見つめる

遠くに行くための荷造りを、ずっと手伝っているみたい。どこかでひとり泣かないように、あれを入れて、これも入れて、全ては入りきらなくて。何が大切か決めるのはあなただから、その朝が来たら荷物は空っぽのまま送り出す。新しい荷物を揃《そろ》えていく道中、ほんのときどき思い出してくれたらそれでいい。

四葩ナヲコ（星々4号　174ページ）

子の荷造りを見つめる母親のおはなしです。生まれたときから子どもと接している母親はその子の性格をよく知っていて、「この先起こるかもしれないあれこれ」が見えてしまい、「こういうときはあれがなければ」「こうなったときはあれをしないと」と備えようとします。自分の過去と重ね、自分がしたのと同じ過ちをしないように、先回りしようとすることもあるでしょう。けれども、絶対に失敗しない方法を詰めこめるほど大きな鞄《かばん》はないのです。

作品の「転」に当たる「何が大切か決めるのはあなただから、その朝が来たら荷物は空っぽのまま送り出す」という部分がこの作品の核でしょう。子どもが成長すれば親は万能の存在ではなくなり、子どもは子どもの人生を生きなければならない。その気づきが描かれています。

この作品を輝かせているのは、最後の一文「新しい荷物を揃えていく道中、ほんのときどき思い出してくれたらそれでいい」でしょう。もしかしたら、子どもを育てていくなかで、母親もまた自分が子どもだったころの荷造りのことを思い出していたのかもしれません。

親は子どもが成長するまで、その命を守っていきます。その年月は親にとってもかけがえのないものです。でも、その期間はやがて終わります。親子には年齢差があり、ともに暮らしていても、同じ目線でその時間を共有することができません。子どもが自分の親にほんとうに出会うのは、成長して過去をふりかえったとき。親子は時間的にずれて出会うことしかできない。でも、つながっている。その切なさが荷造りという行為にこめられているようです。

4 すべてを語らず読者を引っ張る

毎週土曜の朝十時、決まって彼は父親と現れる。八番テーブルは定位置。いつものハンバーグ一八〇グラムではなく二四〇グラムを注文した日、バイト仲間と「食べ切れるのか!?」とバックルームで盛り上がったものだ。赤の他人の常連さん。君の成長を楽しみにしているのは、何も家族だけではないんだよ。

富士川三希（星々3号　153ページ）

とある日常の一コマを描いた、あたたかな作品です。毎週土曜の朝十時に現れる彼。この冒頭の一文からわかるのは「彼」がいつも父親といっしょだということだけ。舞台がどんな場所なのか、語り手がだれなのか、「彼」とどんな関係かは一切わかりません。

続くふたつ目の文の「八番テーブル」、三つ目の文の「ハンバーグ」を注文するという記述を見て、舞台が飲食店だとわかります。そして、その次の文にある「バイト仲間」という言葉で、ようやく語り手が従業員だということが判明する。

少しずつ明らかになるこの書き方に工夫を感じます。少し謎めいた書き方で読者に「なんだろう?」と思わせるような効果があります。最後のふたつの文章でピントがぴたっと合って、全体の像が見えてくる。その構造も見事です。また、謎めいた文章で読者を引っ張ることができているのは、リズムよく読みやすい文章のおかげです。

この作品の魅力は文章や構成だけではありません。常連客の成長に盛りあがる従業員という目のつけどころに独創性が光ります。他人のようで他人じゃない、そんな相手に向けられる善意。この作品は、たくさんの人が行き交う街ならではのコミュニケーションを見出《みいだ》しています。

従業員たちの思いが親子に伝えられることはないかもしれません。でもこうしたひそかな善意があるから、居心地の良い空間になっているのでしょう。親子もだからこそ毎週通ってくるのでしょう。読者の胸にも、こんなあたたかな場所があるという希望を届けてくれるのです。

5 身近な謎にひとあじ加える

冷蔵庫の保存容器は、妻がそれぞれの中身をメモ書きしてある。「茹《ゆ》でほうれん草」「苺《いちご》ジャム」「豚の角煮」「ひじき」。その中に「秘密」というものがある。試しに開けようとしたが、背後から「それは秘密よ」とゾッとするような声で囁かれて以来、俺は冷蔵庫を開けても、それは見ないようにしている。

冨原睦菜（星々3号　137ページ）

こちらも日常の一コマを描いた作品です。そして今回の舞台は、だれにとってもいちばん身近であるはずの自分の家のなか。生活の基盤となる台所の風景です。

冷蔵庫というのは不思議な場所です。わたしたちがドアを開くと明かりが点《とも》りますが、普段は真っ暗。そのなかに、食べ物や飲み物が詰めこまれている。その多くはやがて家に住む人たちのお腹のなかにおさまっていきます。つまり、冷蔵庫には家の人々の身体を形作るものがぎっしり詰まっているということです。

子どものころ、冷蔵庫をのぞくのが怖いと思ったこともありました。得体のしれないものを見るとどきどきしました。食べ物はもとはたいてい生き物ですから、冷蔵庫は加工を施された死体の保管庫でもあるわけです（野菜や果物、味噌《みそ》などはまだ生きているともいえます）。

家族というのも不思議な存在です。日々寝食をともにし、なんでも知っているような気がしますが、ほんとうはその人の胸のうちをなにも知らないのかもしれない。だれよりも身近で、助け合わなければならない存在だからこそ、言えないこともたくさんあります。「秘密」は、親しいもの同士のあいだにこそ生まれるものなのかもしれません。

この作品の良さは、そうした家族というものの本質を身近な題材によって描き出しているところにあります。「『秘密』というメモ書きの貼られた保存容器」という思いつきが見事だな、と感じます。

6

仕掛けで終わらず、気持ちに迫る

公園の中を、今日も歩いています。仲間たちは、ありがたいことに保護されて、幸せに暮らしていると聞きました。私は歳をとっているし、ここが終《つい》の棲家《すみか》となるのでしょう。夏の終わりが、一番好きです。風がエノコログサを揺らして、私の鼻をくすぐります。あの人が、いつも遊んでくれたみたいに。

山口絢子（星々2号 232ページ）

やさしく、やわらかな筆致の作品です。公園のなかを歩いている。読んでいる人ははじめ、作者自身が語り手で、散歩をしているのかな、と思うかもしれません。しかし、続く文に登場する「仲間たち」「保護される」という言葉で、「あれ?」と感じるのではないでしょうか。「歳をとって」、公園が「終の棲家となる」。どういうことなんだ、と少し考えて気づきます。

語り手は「猫」だったのです。謎は早々に解けてしまうのですが、140字小説という短い形式だからこそ、仕掛けがあざやかに決まっています。

しかし、この作品の素晴らしさは語り手の世界に対するやわらかな視線にあります。「仲間たちは、ありがたいことに保護されて、幸せに暮らしている」。仲間の無事を喜ぶこのやさしさは仲間たちと過ごした日々が過酷だったから生まれたもののように思います。辛く悲しく、苦しかった日々をともに過ごした仲間だからこそ、その幸せをうれしく思うのでしょう。

そして、なによりも胸打たれるのは、「夏の終わりが、一番好きです」から続く文章です。エノコログサの感触が語り手に、もっとむかしの記憶を運んできます。「あの人が、いつも遊んでくれた」。それは語り手にとって大切な、しあわせの記憶です。

「ここが終の棲家となる」という言葉から、語り手の命がそう長くないことがわかります。これは語り手にとって最後の「夏の終わり」かもしれません。ひとりぼっちになったけれど、心は満ち足りている。その豊かさが描き出されているところが素晴らしいと思います。

7 主観を挟まない描写で物語を表現する

葉を散らした庭木にみかんの輪切りが咲いている。「自分の食事もままならないのに」言葉を飲み込んで冷蔵庫の扉を開けた。ヨーグルトや作り置きの惣菜《そうざい》を仕舞い、残り物を確かめる。いつもと変わらぬ流れ作業。ふと美しい調べに耳をすませる。父がみかんを啄《ついば》むメジロを見ていた。懐かしい顔をしている。

モサク（星々3号　144ページ）

俳句には「写生句」と呼ばれるものがありますが、この作品は「写生140字小説」と言えるかもしれません。

庭木に咲いた「みかんの輪切り」。なんだろう、と思いますが、説明はありません。「自分の食事もままならないのに」という言葉や、最後の「父がみかんを啄むメジロを見ていた」という描写から、それが語り手の父が鳥のために木に差したものだということが伝わってきます。

自分の食事もうまくできない父。「懐かしい顔をしている」という表現から、おそらく語り手の父親は年をとって、若いころのように動くことができなくなっているのだろう、とわかります。語り手はそういう父の身のまわりの世話をしている。「自分の食事もままならないのに」という言葉を飲みこみ、黙々と日々同じ作業を続けている。

語り手が見たままを描き、意味は説明しない。しかし、最後まで読むとすべてがつながって、そこで起こっていることの意味が浮かびあがってくるのです。語り手の性別も、同居なのか通いなのかも、父がどのような状態なのかも、細かいところまでは描かれません。それでも、読者はその光景をありありと思い描くことができるでしょう。

説明や感情の描写に頼らず、写生だけで出来事を伝えていく見事な手法です。視覚による鋭い観察が続いていくなか、最後に鳥の声という聴覚的な表現が加わるのも素敵です。声によって空間に奥行きが生まれ、読者もこの世界のなかにはいりこんだような感覚を覚えるのです。

8 精緻な描写で奥にある感情を描き出す

ドン。花火の鈍い音が、遠慮がちに家の中に流れ込んでくる。私はこの一年で骨が浮いたシロの横腹を撫でる。名前を呼ぶと辛うじてしっぽを振る体を腕に抱けば、ドン、と次の花火が上がる。去年は一緒に見たそれを、今年は瞼の裏に浮かべる。永遠に続くと思っていた当たり前の名残を、精一杯抱きしめる。

あやこあにぃ（星々4号　184ページ）

花火の音が印象的な作品です。

はじめに「ドン」という音を置き、その音が「遠慮がちに家の中に流れ込んでくる」。とても工夫された書き方です。花火の音は遠い音なので、大きいけれど鈍く、ゆっくり迫ってくるように感じます。夏の夜のじんわり汗ばむような空気まで伝わってきます。

そして、飼い犬の腹を撫でる。「骨が浮いた」「名前を呼ぶと辛うじてしっぽを振る」という表現から、老犬で、もう弱っていることがわかります。犬の身体を抱くと、また次の花火があがる。花火以外の音のない、しずかな空間が頭に浮かびあがります。

「この一年で骨が浮いた」と書かれていることから、犬がこの一年で急速に弱ったことがわかります。そして、「去年は一緒に見たそれを、今年は瞼の裏に浮かべる」という一文によって、もう犬が外に出られないことがわかります。外で花火を見ることはできず、部屋のなかでいっしょに音だけを聞いている。これまでの記憶のなかの花火の像が瞼の裏をよぎっていく。

わたしたちはみな、自分たちのありふれた日常を永遠に続くものだと思いこんでいます。でもほんとうは、時間は流れ、世界は変わっていく。ものの命は衰えていく。このおはなしの語り手は自分より寿命が短い動物と暮らすことで、その現実を目の当たりにします。くりかえし聞こえる花火の音に大切な時間が波のように寄せたり引いたりする。その切なさが伝わってくるようです。

9 大事な要素を見極め、細部は省略する

ある朝みんなが自分の名前を失《な》くしてしまって、だから代わりに名付けの由来を名乗るようになった。健康な男です。優しい人です。苺のように可愛い子と名乗った人は少し面映《おもは》ゆそうだ。明るい方へゆきなさい、と願って付けられた私の名前は何処《どこ》へ行ったのだろう。花の咲くような響きだった、私の名前は、

石森みさお（星々4号 176ページ）

みんなが自分の名前を失くしてしまった……。そんな不思議な設定からはじまる物語です。これがもし長編小説だったら、なぜそんなことになったのか、原因や理由のようなものが語られるかもしれません。そのような事態に巻きこまれた人々がそれぞれに自分の名前を探そうとしたり、もとの世界を取り戻そうとしたりするドラマが描かれるかもしれません。でも、ここにはそうしたものはありません。名前を失った人ひとりひとりの感情が細かく描かれることもありません。140字という短い物語のなかでくわしい事情を描こうとすれば説明的なものになり、感情を描こうとすれば表面的で厚みのないものになってしまうでしょう。

140字しかない世界ですから、すべてを描こうとせず、ひとつだけに焦点をあてたほうが良いのです。この作品の場合は、名前を失ったという状況や名前を失った人の感情ではなく、「名前」そのものについての考察が物語の核となっています。

名前には多くのものが秘められています。言葉としての意味、文字の形、音の響き。生まれたときはまっさらだった命に名前が与えられ、名前はその命とともに旅をしていきます。そのなかでくりかえし呼ばれ、名乗ることによって、名前はたくさんの記憶を孕《はら》んでいくのです。

子どもの名づけには、その子の誕生を待つ人たちの願いや祈りがこめられています。名前が失われ、文字の形や、響きや、記憶がなくなってしまっても、その願いだけが残っている。しかしその響きや形や記憶は完全に消えたわけではなく、空中に淡く漂っているのです。

10

不思議な話に実感を織り交ぜる

船の到着が遅れているので、家に戻ることにした。薄暗い家では妻が疲れた顔で座っていた。そこへ息子がやってきてドカッと座ると、ビールをグラスに注ぎ、体を震わせ泣き始めた。死んだ私にできることは何も無かったが、家族の側《そば》に座り、彼らの幸福を願った。船はわざと遅れてくるのだと後から聞いた。

のび。（星々3号　128ページ）

船の到着が遅れているので家に戻る。そこまで読んだだけでは、日常の物語のように見えるでしょう。薄暗い家に座っている妻。そこへ息子が帰ってくる。ビールをグラスに注いだ息子が泣きはじめるところまで読んで、だんだん、単なる日常じゃないな、と思えてきます。

息子はなぜ泣いているんだろう？　語り手はなぜ家族に話しかけないのだろう。そして、次の「死んだ私にできることは何も無かったが」で、はっとします。語り手は死んでいたのです。だから家族には彼の姿が見えない。ここで読者は、なぜ妻が疲れた顔をしているのか、なぜ息子が泣いているのかを理解します。淡々とした描写ですが、その様子が目に浮かぶようです。

このおはなしが素晴らしいのは、「実は語り手は死んでいた」というオチで話が終わらないことです。そこから続く語り手の家族への思い。そして、「わざと遅れてくる」船。亡くなった人を次の世界に運んでいく船なのでしょう。でも、この世との別れの時間を作るため、いつもわざと遅れてくる。

そこまで読んで、読者は冒頭の「船の到着が遅れているので」という出だしの意味を悟ります。船の運行をつかさどるのは神でしょうか。遅れてくるのは神のやさしさかもしれません。あるいは気まぐれかもしれません。理由をはっきり描かないところも、物語の奥行きを広げています。わざと遅れてくることを後から聞いた。最後のこの一文によって、語り手にその後があることがわかり、読者はその「後の世界」に思いを馳せることができるのです。

11

端的な言葉で一気に物語世界に引きこむ

妖精が売られると聞き市場に走った。恋や光の妖精は即完売。黒っぽいのが一羽残っているだけだった。「私は詩の妖精です」妖精の口の中には夜明けが満ちていた。星々の奏でる音楽も聴こえた。詩は小さな器に何て巨きなものを納めてしまうのだろう。心の鈴が震えた。妖精は今も私の書斎に棲んでいる。

右近金魚（星々4号　177ページ）

市場で妖精を買う。ファンタジーのような設定ですが、設定に関するくわしい説明はありません。「妖精が売られると聞き市場に走った」という端的な一文で物語がはじまります。

語り手はどんな身分の人なのでしょうか。くわしいことは語られませんが、人気のある妖精は即完売という描写から、存在していることは周知の事実、でもどこにでもいるわけではなく、市場に出れば人が殺到するくらいにめずらしい。語り手には妖精を先に仕入れる特権もないから、身分が高かったりお金持ちだったりするわけではない、ということも読み取れます。短いなかにしっかりと情報が盛りこまれ、読者は一気に物語世界に引きこまれます。

そうして語り手が出会ったのは、売れ残っていた「詩の妖精」。妖精の口のなかは、夜明けや星々の奏でる言葉で満ちていて、まるで世界そのものがしまいこまれているよう。

言葉は非常に優れた記憶媒体です。たくさんの情報が文字に圧縮され、本を開けば、数千年のときを超えてその世界が開封されます。なかでも詩というものは、書いた人が意識していなかったものまで織りこむことができる魔法のような言葉です。書き手が理解できなかったものまで運び、読み手がはじめてそれを解読することもあるでしょう。詩の妖精が売れ残っていたのは、地味だったからでしょうか。役に立たないと思われたからでしょうか。でも語り手はその魅力の虜《とりこ》となります。わかりやすい効能はなくても、「詩」は世界のはるか遠くにつながっています。それを感じ取れる語り手にとって、なによりの宝だったにちがいありません。

12

解けない謎があってもいい

わからないことがあったら、決してそのままにせず納得行くまで調べるのよ。そう教えてくれた担任の先生が失踪したのは、僕が小学五年生のとき。「カケオチ」の噂も流れた。でも、僕は見たんだ。先生の車が港の堤防を猛スピードで走り抜け、夜空へ消えるのを。先生、僕は30年間、謎を抱え続けています。

酒匂晴比古（星々3号　145ページ）

わからないことがあったら、決してそのままにせず納得行くまで調べるのよ。

ごくあたりまえに見える教師の助言。ところが物語は思いもよらぬほうへ転がっていきます。教師が失踪してしまうのです。「カケオチ」という噂も流れますが、小学五年生だった「僕」は、教師が消えた夜に、とんでもないものを目撃していました。先生の車は港の堤防から猛スピードで飛び立ち、夜空に消えていった——。物語は30年後、すでに大人になっている「僕」が、過去をふりかえる形になっています。ほんとうになにがあったのかはわからないまま。

小学校を卒業してから「僕」がどんな人生を歩んだのか、いまどんな生活を送っているかについては一切書かれていません。でも、「僕」の心のなかには、夜空に消えていった車がいまもあざやかに残っている。書かれていないことがたくさんあるからこそ、読者の想像もふくらみます。口調からして、先生は女性だったのでしょう。「僕」はたぶん男の子。もしかしたら先生が素敵な人で、「僕」は憧れのようなものを感じていたのかもしれません。先生はほんとうに駆け落ちで、夜空に消えた車は、そんな「僕」が見た夢だったのかもしれません。あるいは、先生は宇宙人か未来人で、未知の乗り物で未知の世界に旅立ったのかもしれません。

謎は解けない。わからないことがあったら、決してそのままにせず納得行くまで調べるのよ。そう助言されたにもかかわらず。でも、解けないところが良いのです。人生の多くの部分は解けない謎でできているのです。展開の速さと不安定な読後感が魅力的です。

13

描かない部分が読者の想像をかき立てる

私は幽霊。すみかは築40年の事故物件。幽霊なのでエアコンの掃除はできないし、カーテンは24時間開いたまま。ヒビが入った窓も放置している。だから冬はずいぶん冷えるけど、幽霊なので気にならない。真夜中、冷たい窓に頬を預けていると、どこかに光るものがある。雪の死骸だ。きれい。死んでいても。

ｋｉｋｋｏ（星々1号　136ページ）

幽霊のひとりごとの形を取った不思議な作品です。事故物件に住んでいるというこの幽霊、エアコンの掃除もカーテンを閉めることも窓ガラスを取り替えることもできない。身体がないのは不便なものですが、幽霊だから寒くない。だから気にならない。意外とあっさりした性格のようです。幽霊というからには、なにか世の中に恨みがあるのでは？　思いを残しているのでは？　と気になりますが、そのあたりは語られません。

でも、そもそもなぜここに住んでいるのでしょう。築40年の事故物件。ここが幽霊の生きていたころの家だったのかもしれません。事故物件というのはつまり、そこで自殺や事故死や不審死があったということ。ということは、この幽霊こそが不審死した人物かもしれません。

窓にヒビがはいっているのも、その不審死の原因と関係があるのかもしれません。ヒビは暴力の痕跡かもしれない。だとすれば、ふつうに生きていた人がある日突然不幸な事故か暴力にあって命を落としたのかもしれません。死にたくない、というような恨みを抱える間もなく命を落とし、いまも死の実感がないまま、そこに住み続けているのかもしれません。

だからこそ、幽霊は光るものに心惹かれたのかもしれません。雪は生き物ではないのに、それを「雪の死骸」と呼ぶのは、自分と近いものだと思うからでしょうか。「きれい。死んでいても。」それは雪に命がなくてもきれい、という意味にも、自分が死んでいてもきれいだと感じるという意味にも取れます。クールな書き方のなかに凍るような寂しさが光っています。

14

小さな物語だからこそ広がる小宇宙

母は耳飾りを持って生まれた。センリョウの実のような小さな赤い飾りだ。耳飾りは、子供の頃は緑色だったらしい。母が恋を知ると色づき、父と出会うと真っ赤になり艶を増した。母の耳飾りは、いつも美しかった。父が亡くなってからは透明になり、今はロッキングチェアで寝る母の耳で静かに揺れている。

五十嵐彪太（星々3号　121ページ）

とてもうつくしい物語です。「耳飾りを持って」とありますが、手に持って生まれたのではなく、生まれつき耳から耳飾りがさがっていたということでしょう。子どものころは緑色、恋を知ると色づき、恋が実るときには真っ赤に熟す。木の実のような耳飾り。象徴的な設定が見事です。語り手は「母の耳飾りは、いつも美しかった」と言い、耳飾りを通して、父と母の恋、そして母の命の炎を感じるのです。

母の子ども時代や恋を知ったころなど語り手が生まれる前のことまで書かれているところから見て、この耳飾りはだれの目からでも見えるものなのでしょうか。語り手は耳飾りを持っていないのでしょうか。だとしたらなぜ母だけが耳飾りを持っているのでしょうか。そのあたりのことははっきり描かれず、読む人の心には耳たぶからさがった耳飾りの揺れるさまだけが浮かびあがります。父が亡くなって耳飾りが透明になる。人生の終わりを迎え、命の炎も透き通った光になっていくということでしょうか。耳飾りが母親の命そのもののようで、ファンタジーでありながら深いリアリティを帯びます。揺れる耳飾りと揺れるロッキングチェアが重なり、メトロノームのような規則的な動きによって、短い人生が永遠につながっていくようです。

この物語をうつくしく感じるのは、小さい物語だからかもしれません。緻密に作りこまれた豆本のように、母の人生がこの小さな物語のなかに凝縮されているのです。小さいからこそ大きな世界を孕むことができる。物語というものの不思議な力を感じさせる作品です。

15

言葉にできない思いに迫る

自分の最期が分かる人はどのくらいいるのだろうと思いながら実家に入った。ハンカチ一枚、母は残していなかった。生きることに未練はなかったのだろうかと空っぽの冷蔵庫を閉める。台所に視線を向け、立ち尽くす。様々な調味料が静かに出番を待っていた。「ごめん」換気扇を回し、うずくまって泣いた。

祥寺真帆（星々3号　146ページ）

「人生の最期」という、重いテーマに向き合った作品です。母親が亡くなって、久しぶりに家を訪ねた語り手。語り手がいまどこに住み、どんな仕事をしているのか。家族はあるのか。語り手と生前の母親との仲はどういうものだったのか。くわしいことは書かれていません。父親はそれ以前に他界したのでしょうか、母はひとり暮らしで、しょっちゅう行き来があったわけでもない。それなりに距離のある関係だったことが読み取れます。

ためこんだものを処分するのには大変な労力が必要です。本や雑誌のコレクターだったわたしの父は老後自分で少しずつ持ち物を処分していきましたが、それでも死後に膨大な品々が残りました。すべてが父の命を吸いこんだもののようで、片づけるのに骨が折れました。

ハンカチ一枚残さなかった語り手の母。語り手はあっさりと手を放されたような気がして、寂しさを覚えたのかもしれません。しかし台所に目を向けたとき、残された調味料が目にはいるのです。きっと日々料理をしていた人だったのでしょう。その大部分はだれかのために。家族のために数えきれないほど台所に立っていたのでしょう。だれにも弱音は吐かなかった。否、弱音を言葉にすることができなかっただけかもしれません。

この世を去ろうというときに感じることを明確に言葉で表現できる人などどこにもいません。その思いを受け止めた語り手もただ「ごめん」としか言えない。言葉にすることのできないその思いがかぎりなく正確に描き出されているように感じました。

第4章 届けてみよう

1 遠いだれかに向けて

紹介した140字小説はいかがでしたか？　140字とは思えないほどの深さや広がりを感じる作品も多かったと思います。自分でも書いてみた、という方もいらっしゃるかもしれません。この章では、できた作品を人に届けることについて考えていきたいと思います。

作品ができたとしても、作者のノートやPC、スマホのなかだけにあるなら、それはまだ日記のようなものです。それだけでも意味のあることではありますが、作品というのはほかの人の目に触れることによって別の命を得るのです。

書けたけど、まだまだ人に見せられるようなものじゃない、と感じる人もいるかもしれませんが、完璧なものが書けてから発表しようと思うと、いつまで経っても発表することができません。それに、作品の良し悪《あ》しは人の反応を見てみないとわからないところもあります。

大学の授業でも、創作のワークショップでも、わたしは必ず受講者同士の合評をおこなうようにしています。作品を読みあうことは、作品の良し悪しの基準を複数の人にゆだねることです。そうすることで、作品は作者個人の手をはなれ、見知らぬ世界へ出航していきます。

それはとても勇気のいることですよね。ほかの人の目に触れたら、なにを言われるかわからない。好きと言われればうれしいけれど、あまり好きじゃない、とか、よくわからない、と言われるかもしれない。なにも反応がないということもあるかもしれない。

作品を人に見せるというのは、自分自身を見せるようなことです。恋愛の告白のようなものでもあり、試験のようなものでもあります。自分自身をさらして、相手の評価を待つ。それはとても怖いことですから、躊躇《ちゅうちょ》してしまう人もいるでしょう。

でも、恋愛でも試験でも、一歩踏み出さなければその先には進めません。創作も同じです。完璧なものなんてできません。創作は正解のない行為ですから、そもそも完璧なものなど存在しないのです。

合評にはいいところがたくさんあります。相手から指摘されて、自分では気づかなかった点に気づくこともあるでしょう。人はみな自分とちがう目を持っています。それに触れることで、作品のあらたな面に気づくかもしれません。

また、自分自身も相手の作品を読み、意見を述べるという経験は、作品を客観的に見る目を養うことにつながります。そうして、自分の作品も客観的に見ることができるようになります。

人の前に作品を差し出すことによって、作者は自分のなかにあったものを、外側から見ることができるようになるのです。

思いがどれほど強くても、文章がわかりにくければ伝わりません。強く書きたいことがあっても、そうでない考え方をする人もいるかもしれません。作品を世に送るというのは、自分自身を外に開くことです。

口にしなければ否定されませんが、肯定もされません。だれかとつながることもできません。だから言葉の舟を出航させる必要があるのです。それに、できあがった作品というものは、どれもすでに作者の胸の内をはなれて出航する準備ができているのです。

言葉というのはそもそもそういう力を持つものです。言葉は本来作者ひとりのものではなく、それ自体どこかから流れ着いた種のようなものです。それが作者のなかで芽を出し、葉を広げ、成長して、また実をつける。言葉自身がどこにでも行き、ほかの人の心に触れたいと願っている。そういうものなんだと思います。だから、あとは作者がそれを解き放ってやるだけなのです。

出航を決めたら、次はどうやって送り出すかです。いちばん簡単なのはSNSでしょう。140字小説ですから、X（旧ツイッター）ならそのまま投稿することができます。

投稿の際、「#140字小説」などのハッシュタグをつける人も多いです。Xには140字小説を書いている人がたくさんいて、みんな自分の作品を投稿するだけでなく、ほかの人の作品を読むことを求めています。ハッシュタグをつけることで、作品を求めている人のところに送り届けることができるかもしれません。

Xに馴染《なじ》みがない方は、ほかのSNSでも良いと思います。

画像中心のインスタグラムなら、できあがった１４０字小説を自分の好きな書体で縦書きに組んで、画像として投稿する方法もあるでしょう。同じ作品でも、文字の種類や組み方によって、受ける印象は変わります。文字だけでなく、写真やイラストと組み合わせるのも良いかもしれません。

動画で投稿するという方法もあるでしょうし、文字や映像に朗読の音声を載せることもできるでしょう。自分らしいと思える形を探すのも楽しいのではないかと思います。

小説投稿サイトや画像投稿サイトを使った発表も考えられるでしょう。結局のところ、自分が馴染める場所で発表していくのがいちばん良いのではないかと思います。

発表したい人にとってネットは便利な場所です。でも、見ず知らずの人がたくさんいる場所に放り出すのは怖いという人もいるかもしれません。たしかにどんな人がいるかわからないですから。そういう場合、まずは知っている人に読んでもらうという方法もあると思います。

顔を知っている身近な人に読んでもらうのはかえってはずかしいと感じる方も多いと思いますし、そういう場合は、コンテストに応募するという方法もあります。

わたしの運営する星々のコンテストでは、Xからの応募も、サイトのフォームからの応募も可能です。どちらの方法で送られてきた作品も星々のｎｏｔｅ（ブログ）に掲載されます。ｎｏｔｅで作品を読む方も多いので、そこでだれかの心に届くかもしれません。140字小説専用の筆名をつけてフォームから応募すれば、ＳＮＳ上の知り合いとも、実際の顔見知りとも切り離して発表することができます。

星々だけでなくXにはこうしたコンテストがいろいろあるようですから、自分に合った場所を探すと良いでしょう。どんなコンテストでも、開催する側の求める作品の傾向がありますので、趣旨に合ったところに出すのが大切だと思います。

自分の世界をしっかり持っている人にとっては、そのときそのときのＳＮＳでの反応や、コンテストの評価を窮屈に感じることもあるでしょう。その場合はｎｏｔｅなどのブログや、自分でサイトを作ってまとめていく方法もあるかもしれません。作品をある程度のまとまりにすることで、その人の世界が見えやすくなる効果もあります。

この項のはじめにも書きましたが、わたしは作品というのは「書きあがれば終わり」ではなく、人に届けることがとても大事だと思っています。自分の基準のなかで完成度をあげることも大事ですが、ほかの人に読んでもらうことでその作品は命を得るのです。

自分の作品が意図とちがう形で受け止められたり、けなされたり、無視されたりするのは辛いものです。わたしも小説を出版しているからその気持ちはよくわかります。でも、外に送り出さずに書き手のなかだけで消えていくのは、生み出された言葉たちがかわいそうです。そして、それを生み出した書き手自身の心も。書きたいことがあったから書いたはず。どこかに届けたいという気持ちが心のなかにあったはずです。

気をつけなければいけないのは、言葉というのは人を励まし、なぐさめる力もありますが、人を呪ったり、傷つけることもできるということです。書き手はその責任を負わねばなりません。そのことだけは覚えておきましょう。

勇気のいることですが、自分の気持ちを舟にのせ、送り出してみましょう。

もちろん、反応がなかったり、誤解されたり、うまくいかないこともたくさんあるでしょう。でも、予想もしなかった良い反応がくるかもしれません。それがあなたにあらたな世界を見せてくれるかもしれません。

とにかく、送り出さなければなにもはじまりませんから。

2 言葉に身体を与えてみよう

かつては、作品を人に届けるためには紙に印刷したり、本にしたりする必要がありました。そして、出版社から本を出すのはかぎられた人にしかできないことでした。最近では個人で冊子を作ったり、それを販売したりすることも気軽にできるようになりました。

とはいえ、本を作るには技術と手間とお金がかかります。いまはパソコンがなくても、本をスマホだけで作れるサービスも多々あるようで、技術的なハードルは下がってきていますが、印刷代はどうしてもかかります。

それにくらべると、ネットでの発信は手軽です。とくにSNSは作品を流しこむだけですから、書きあがったら即発表できます。時間も費用もかかりません。そして、反応もすぐに返ってきます。最初に書いて発表する場所として、ネットには大きな利点があります。

しかし、ネット上の作品は、すぐに流れて、消えていってしまいます。もちろん読み手がプリントアウトすれば別ですが、ネットで発信した言葉は画面のなかに映るだけで、実体がない。

まるで幽霊のようで、作品が存在しているという実感が持てない。その点、本や雑誌などに印刷されたものには手触りがあります。

この項では、わたしが１４０字小説を名刺サイズのカードに印刷し、販売してきた経緯をご紹介したいと思います。

＊作品集を作りたい

作品集を作ろうと思ったのは、２０１3年、作品が１００編を超えたあたりのことでした。実体のない情報ではなく、形のある「もの」にしたい。しかし、どういう形にするか、なかなか決めることができませんでした。本の形にするにはお金がかかります。だから作ったものは売らなければなりません。どこでどうやって販売すればいいのか……。

などと考えるうちに、人に読んでもらうことが目的なら、結局ツイッターがいちばんいいんじゃないかとも思うようになりました。制作費もかからないし、読み手に負担もかけない。

それでも、本の形にしたいと思うのはなぜなんだろう？

その疑問の答えを探るうち、子どものころの読書の体験が頭によみがえってきました。昭和40年代、50年代のことですから、本はみな活版印刷。児童書はハードカバーで手で製本されたものが多く、糸綴《いとと》じでした。

花布《はなぎれ》（上製本の背の上下端に貼りつける布。本来は折り丁を色糸で交互に縫いつけ、本の強度を増すとともに装飾を目的としていたが、現在では本の装飾として色布などを貼りつける）やスピン（栞紐《しおりひも》）がついて、函《はこ》にはいっている本。ページをめくるたびに、豊かな時間を感じていました。

もちろん本にとってもっとも大事なのはそこに記された内容なのですが、本という物質から得るしあわせというのもあるなあ、と感じました。

印刷所の活字棚にて。
髪を結んでいる奥側が著者（写真はすべて著者提供）

＊印刷所の思い出

そうして、小学生のころ、父に連れられて印刷所に行ったことを思い出しました。当時の印刷所ですから、当然活版印刷で、印刷機や棚にならんだ活字、紙型《しけい》から取った金属版（鉛版）などをいろいろ見せてもらいました。

本が好きだったわたしは、本はこうやって作るんだ、文字をひとつひとつ手でならべて、それを判子みたいにして押すと本になるんだ、といたく感激しました。

本を読んでいたときは、それがもともとひとつひとつばらばらの金属の活字だなんて思いもしませんでしたし、文字をひとつひとつ作っておいてそれをならべるという発明に感動しました。

そのときから、いつか活字で自分の本を作りたい、という思いがありました。しかし、わたしが大人になるころには活版印刷はすでに廃《すた》れはじめ、2000年代になると、活版で本を作っているところはほとんどなくなってしまいました。本作りについて考えているうち、活版印刷で本を作るという夢がなぜかまたむくむくとわきあがってきたのです。

＊九ポ堂との出会い

ネットで調べていると、活版印刷を扱う個人工房が少しずつあらわれてきていたところでした。そうしたサイトをいくつか見ていくなかで、九ポ堂という工房を見つけました。酒井草平さん、葵さんのご夫婦で活版印刷のグッズを作っているユニットです。少し不思議な物語と、雰囲気のあるイラストが持ち味で、活版印刷を用いて一風変わった世界を表現しています。

ここに印刷をお願いすることはできないだろうか。サイトを見る限り、九ポ堂が作っているのはポストカードなどの紙雑貨のようです。本のように大量のページのある印刷物を作ることができるかどうかはわかりません。

迷いながらメールを送ると、いっしょにやってみましょう、というお返事があり、国立にある九ポ堂を訪ねました。活字の棚や、さまざまな印刷機（手動式の手キン、小さな印刷物に用い電動の自動印刷機「デルマックス」

手動式の大型手キン。
最初の活版カードを刷った機械

中二階の活字棚

るデルマックスという電動印刷機、出版校正用の電動印刷機）とともに、九ポ堂のこれまでの作品を見せていただきました。

酒井さんと相談し、本にするとなればかなり費用がかかるので、まずは1編だけ、1枚の紙に刷ってみようということになりました。ポストカードや栞など、いろいろな形を考えましたが、140字だったら名刺サイズにもおさまるのではないか、と思いつきました。

刷りあがったカードの文字を見て、なつかしさと驚きを感じました。同じ内容なのに、ツイッターの画面で見ていたものとは印象がまったくちがうのです。横書きが縦書きになっただけでなく、紙に活版印刷された文字には奥行きがあるように見えました。

自分が思い描いていた「本の文字」はこういうものだったんだ、と実感しました。言葉が身体を持ち、おはなしがあるべき姿になった、と感じたのです。

そうした印象は、わたし自身の子ども時代の読書体験とつながるものだったのでしょう。物

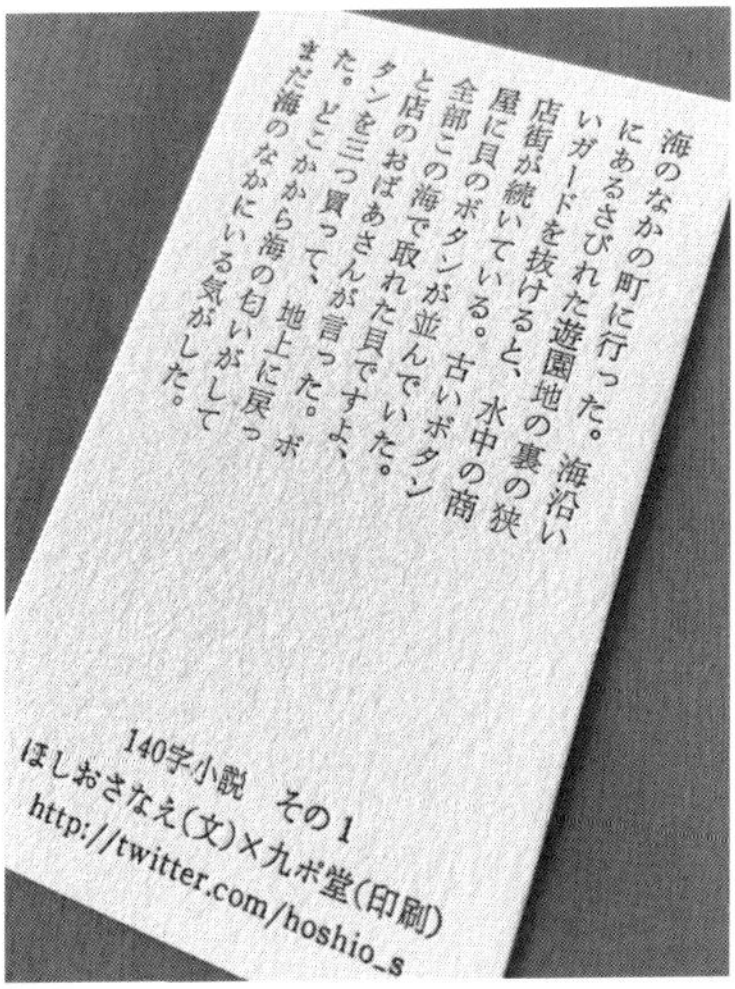

最初のカード。140字小説その1

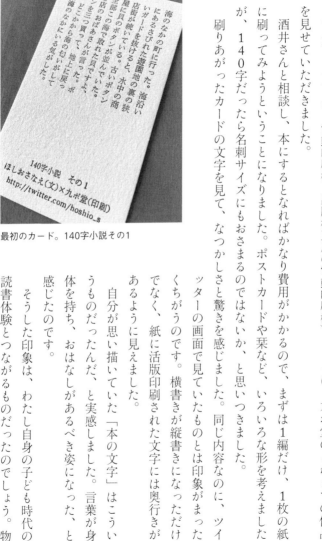

心ついたときからスマホやタブレットの画面に見慣れているいまの子どもたちは、活版印刷の文字になつかしさを感じることはないのかもしれません。

ずっと好きだった活版印刷で自分の作品を形にすることができた。それはとても幸福な経験でした。長いこと忘れていたものが自分の手のなかに帰ってきたような気持ちになり、活版印刷にしてよかった、と心の底から思った瞬間でした。

＊販売へ

せっかく名刺サイズなので実際に名刺として使えるように裏に住所などを印刷したのですが、ツイッターで小説面の写真を見た人から現物がほしいというリクエストをいただき、小説面だけのカードを作って販売することにしました。名刺サイズのカード1枚ではさすがに物足りないので、ほかに4編選び、5編を印刷して文学フリマに臨みました。

5編にしたのはキリがいいということもありましたが、予算的なところも大きかったのです。活字代、組版代、印刷代を合わせ、カード1枚を作るのに100円かかります。刷り部数を増やせば単価は下がりますが、どれくらい売れるかわからないので、とりあえず100枚。

140字小説にちなんでカード1枚で140円。ポチ袋に入れた5枚セットも販売しました。そのころはまだそこまで活版印刷のブームが広まっていなかったので、小さなカード1枚がな

最初のカード。
140字小説その1

ぜこんなに高いのか説明するのに少々苦労しましたが、「文字が素敵」「なつかしい」と言って手に取ってくださる方もいて、会場に持っていった分は完売。

文学フリマに出店したことで、SNSの外にいる人にも作品を届けることができました。直接読者とお話しできたことも大きかった気がします。

わたしのブースでは、すべてのカードを読める状態で販売しているので、立ち寄った方がその場で読んで、感想を言ってくれることもあります。カードの棚の前で端から端までじっくり読んで、好きなカードを選んで買ってくれる方もいます。

ツイッターでリプライをいただくこともありますが、対面での会話には、それとはちがう良さがありました。はじめて活版印刷に触れ、その良さを知った方がたくさんいたことも、わたしにとってはうれしいことでした。

いまは文学フリマも大きくなり、地方都市での開催もあ

文学フリマの著者のブース（2023年に撮影）

ります。ほかにも創作文芸を販売するイベントはいろいろあり、にぎわっているようです。ネットに流れていく言葉ではなく、紙に刻まれた言葉を求める人はまだまだたくさんいるのかもしれません。なんとなく、ですが、人は「もの」には愛着を持つけれど、「情報」には愛着を持ちにくいのではないかと感じます。「もの」は所有できるけれど、「情報」は所有できないからでしょうか。だから、映像やゲームのキャラクターもグッズの形にする。

言葉の作品の場合も、もちろんネット上に流れていくものにも感動するのですが、好きな作品は紙の上に刻みつけておきたい、という欲求が働くのかもしれません。言葉に触れることはできませんが、紙の本には触れることができますから。

＊活版印刷の世界へ

最初の5枚セットが好評だったこともあり、その後も活版カードを作り続けることになりました。その後、九ポ堂に誘われ、活版印刷に携わる人たちが主催する「活版ＴＯＫＹＯ」というイベントにも参加しました。

そこでは九ポ堂以外の工房の人たちとの出会いもありました。その多くが、古くから活版に携わってきた年配の方と、20代、30代のあたらしい作り手でした。イベントは盛況で、活版印刷に関心のある人が増えていることを実感しました。

その方たちとのつきあいのなかで得た知識を生かし、ポプラ文庫から活版印刷の世界を描いた「活版印刷三日月堂」というシリーズもののお仕事小説を出しました。

＊本作りへ

１４０字小説を書きはじめて10年経った２０２２年、九ポ堂のほか、「活版ＴＯＫＹＯ」で知り合った活版の工房・緑青社《ろくしょうしゃ》、製本所

『活版印刷三日月堂　星たちの栞』

の美篤堂《みすずどう》、活字販売をおこなう大栄活字社、手漉《てす》き和紙を専門とする西島和紙工房、機械抄《す》き和紙の生産に力を入れている丸重製紙企業組合の力を借り、クラウドファンディングで集めた資金で、全ページ活字組版で印刷した１４０字小説集『言葉の窓』を刊行しました。

本の形を相談するところからはじまり、本の完成まで1年以上がかかりました。活版カードのほかさまざまな活版グッズを作ってきましたが、ここまでページのある「本」を活版印刷で作りあげるのははじめてでした。その経緯については、「10年かけて本づくりについて考えてみた」というウェブエッセイに詳しく書いています（本書１９０ページ参照）。

８０６編から１２０編を選んだものなので、作品番号は飛び飛びですが、作品は発表順にならんでいます。

１４０字小説を書きはじめたのは２０１２年。震災の翌年のことです。子どもは小学校にあがったばかり。１００番台くらいまでの作品には、小さいころの娘の話がよく出てきます。

２００番台以降は仕事の上でも模索が続く苦しい時期で、４００番台の半ばで父の余命宣告がありました。父が亡くなったのは５２０を書いたあと。実は、５００の手前まできたとき、１４０字小説を書くのが怖くなり、止まってしまったことがありました。５００を書いたら、父が亡くなってしまうような気がしたのです。

そのころは父にいつなにがあってもおかしくない状態で、毎晩電話を枕元に置いて眠る生活

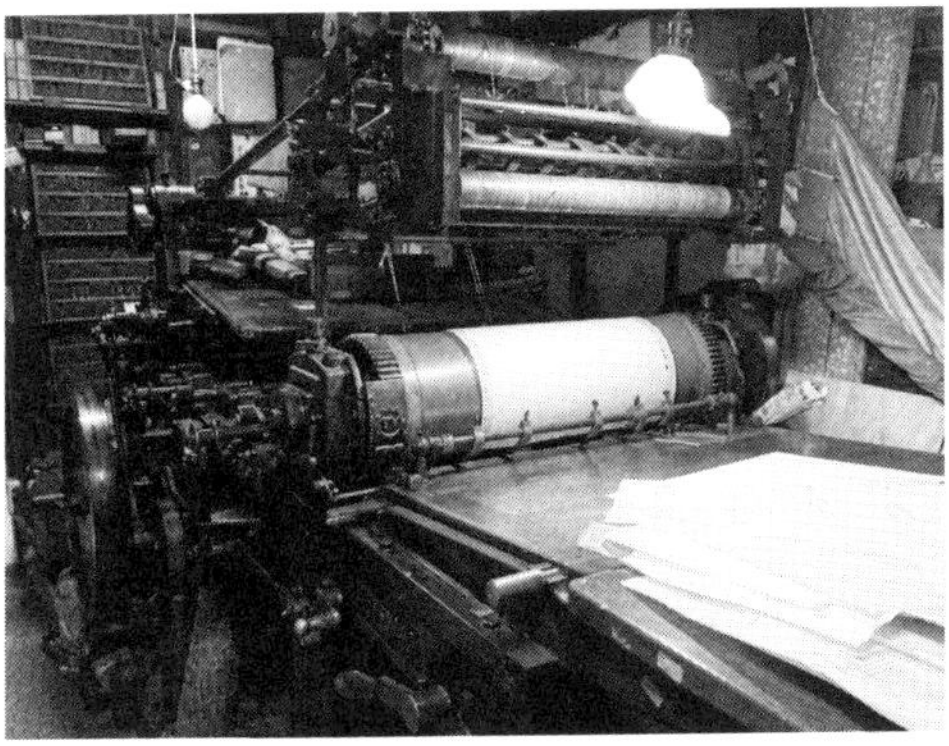

つるぎ堂の大型印刷機

美篶堂での製本風景

大栄活字社の活字棚

『言葉の窓』
特装版(左)と通常版(右)

でした。数字なんて関係ないはずなのに、５００を踏むのが怖かった。父の体調が安定しているときに思い切って５００を書き、５０１を書き、ああ、なんでもなかったじゃないか、と思っていましたが、５２０を書いた直後に亡くなりました。

521

扉が開いたとき、花が咲き乱れているのかと思った。骨と気づくまで少しかかった。父の骨は大きく、しっかりしていた。あんなに痩せても抱きかかえようとすると重かったのを思い出す。父のなかにはまだこんなに命が残っていたんだ、と思う。大腿骨、上腕骨、肩甲骨、喉仏。白い花のような骨を箸で持つ。

５２１を書いたのは葬儀からしばらく経ってからのこと。火葬場で感じたことをそのまま書きました。ほんとうに花が咲き乱れているようで、目を疑ったのをよく覚えています。４００番台の後半から５００番台までの作品には、父の死の影が色濃く出ています。

40代から50代。これらの出来事は、すべてもう人生の後半にはいってからのことです。子どものころのわたしは、40や50になれば人間はそう変わらないと思っていました。でも、こうしてページをめくってみると、この10年で自分がどれだけ変化したのかがよくわかります。年をとってからでも、人は少しずつ変化し、決して元に戻ることはない。

このように書くと、さびしいことのように聞こえますが、さびしいだけではない、ということも知っています。こうして140字小説が増えていったように、自分のなかのページが増え、本は厚くなっていく。この本は、それを形にして見せてくれているような気がしました。

最初に活版カードを作ったとき、ツイッターの画面にあった140字小説が活字組版で紙に印刷されることで、作品が身体を持ったような不思議な気持ちになりました。物質となって目の前に現れたことで、その作品とあらたに出合ったような気持ちになったのです。

でもそれは、一枚ずつばらばらのものでした。こうして本として束ねられたものができあがると、またまったくちがうもののように感じられました。

ページを開く。2編のおはなしが蝶《ちょう》の翅《はね》のように左右に広がる。扉を開けるように、次のページをめくる。本を読むというのは、その連続です。扉を開き、次の文字に出合う。知らなかった世界を目にして、どきどきしながら次へ次へと進んでいく。完成した本を開いたとき、そうやって本を読んでいた子どものころの気持ちを思い出しました。

なかに綴られているのは自分が書いたものです。ここに来るまでのあいだに、作品を選ぶため、誤字を探すため、何度も読み返しました。目新しいことはなにもありません。それでもページをめくるたびに新鮮な気持ちになり、これが本というものの力なのだと感じました。

＊ものを作る喜び

わたしの140字小説は、活版印刷という手法と出合ったことや、その後の出会いの積み重ねによって思いもよらない形の本になりました。活版印刷を使うことによって、活版印刷が好きな人がわたしの140字小説に興味を持ってくれる、という効果もありました。

活版印刷ブームという背景もありますが、ともかくすべては最初に、活版で印刷してみよう、と一歩を踏み出したところからはじまったことでした。

もしネットで発信するだけだったら、ここまで続かなかったかもしれません。形にして販売する過程でさまざまな方の力をお借りしました。その方たちのものづくりに対する真摯な姿勢に触れることで、自分もがんばろう、という気持ちになりました。「人の手でものを作る」現場に携わることで、ものを作る喜びと深い充実感を得ることができたのです。

ネットでの発信もひとつの形ですが、形にしてみることで見えてくるものもあります。

小さな紙に印刷し、豆本にすることもできるでしょう。ハガキサイズに印刷してポストカードにしたり、栞にしたりすることもできます。1枚の紙を折って作る折本のような形なら、Webプリントサービスを利用することもできます。

絵や写真をつけて絵本のような形にすることもできるでしょう。自分以外の人とコラボするのも面白いかもしれません。ほかの人といっしょに作ることで、あらたな世界が拓《ひら》けることもあると思います。音楽や映像と組み合わせることもできるでしょう。いまはスマホやタブレットでも音楽や映像の編集が可能ですし、それぞれ自分の好きなジャンルと言葉を組み合わせ、あたらしい表現が生まれたら素敵だなあ、と感じます。

そうしてできあがったものを外の世界に送り出してみましょう。いまは文学フリマのやハンドメイド作品の即売会など、個人が作品を販売する機会がたくさんあります。そうした場所でほかの創作者が作っているものを見ることも、自分の創作の世界を広げてくれるかもしれません。最初からたくさんの人が受け入れてくれるわけではないかもしれない。どうしたら人が喜ぶものを作れるのか、それを考えることで見えてくるものもあると思います。

「届ける」というのは「つながりを作る」ということ。届けようと願うからこそ、よりよい形を求め、模索します。ひとりで書いていたときには見えなかったことに気づき、ほんとうにこの形で良いのか考えるのです。

この試行錯誤によって、作品はさらに深まり、広がっていくでしょう。わたしは、そのような変化をもたらすものとの出合いから創作を続ける力を得てきたように思います。創作はひとりきりの思いから広い世界に漕ぎ出していくための小さな舟なのです。

おわりに　言葉の舟を送り出す

１４０字で物語を作る。

仕事での執筆のかたわら、趣味として10年以上、その活動を続けてきました。日々の思いを言葉の形にすること。かぎられた字数のなかで正確に表現すること。それは言葉でなにかを作る訓練であり、長い小説を書くためのトレーニングともなりました。

また、作品をカードにすることによって、ものを作ることについて深く考えることにもなりました。ひとりごとのようなつぶやきからはじまり、さまざまな出会いがあり、思いがけないほど大きな旅になったなあ、と感じています。

最近はあまり１４０字小説を書けずにいますが、書き続けてくるなかで立てた「１４０字小説を１０００編書く」という目標を諦めたわけではありません。いまは８００編ちょっとですから、死ぬまで少しずつ書いて、１０００編を達成できたら、と思っています。

２０２０年から続けている星々の活動で１４０字小説コンテストを開催するようになりました。そこに送られてくる作品を読んでいて、世界にはあたらしい才能がたくさん存在していることに気づきました。どれもわたしには書けない独自の世界を持っています。

そうした素晴らしい作品と出合うのはとてもしあわせなことです。遠くできらきら輝く星々をながめるように。ＳＮＳの活動は流れていってしまいがちですが、１４０字小説はネットから切り離しても魅力的な形式だと感じています。はじめての人でも取り組みやすく、深さもある世界です。だからこそ、多くの人に広まったらいいな、と思っています。

話を思いつかなかったり、うまく表現できなかったり、創作には困難がつきものです。でも、創作はそれ自体がこの上なく楽しいことなのです。歌ったり踊ったりするのと同じく、心を解き放つ素晴らしい瞬間です。

そしてそれは、外の世界にいるほかの人々とつながる手段でもあります。そのままにしておけば消えていってしまう思いを言葉にすることで、空間的にも時間的にも遠くに送り出すことができるのです。作者が消えたあとも、その言葉はどこかを漂い続けるかもしれません。

これからも素敵な１４０字小説が増えていくことを願って、この本を終わりにしたいと思います。少しでも、皆さんの創作のヒントになればさいわいです。

本書に登場する活動について

✳ 星々 ✳

「星々」は、2020年に発足したオンライン文芸コミュニティです。有志の星々事務局のスタッフとわたしで運営し、140字小説・短編小説コンテスト、オンライン小説創作講座・読書会などの活動をおこなっています。詳細は「星々」のサイトをご覧ください。

「星々」のサイト

【140字小説コンテスト「季節の星々」】

「星々」が開催する、4月・7月・10月・1月の年4回の140字小説コンテストです。
季節ごとの課題の文字を使った140字小説を募集しています。

- Xとサイトのフォームからご応募いただけます。
- 応募作品はすべて星々のnoteで公開します。
- 選考は星々事務局とわたしがおこないます。結果はnoteに速報を発表したのち、星々のサイトに受賞作と選評を掲載します。入賞作3編、佳作7編と予選通過作は、年2回発行の雑誌「星々」に掲載します。
- 年度の最後に4回のコンテストの入賞作(12作品)から年間グランプリを選出します。

【雑誌「星々」について】

年2回(5月と11月)に刊行される「星々」の活動の中心となる雑誌です。小説のほか、特集に関するインタビュー記事なども掲載しています。140字小説コンテスト「季節の星々」・星々短編小説コンテスト・星々小説創作講座の優秀作と選評も掲載しています。星々のオンラインショップからご購入いただけます。

「星々」オンラインショップ

✳ 140字小説活版カードと『言葉の窓』✳

140字小説集『言葉の窓』については、ホーム社のサイトHBの「10年かけて本づくりについて考えてみた」でくわしく説明しています。また、『言葉の窓』と「140字小説活版カード」はわたしのオンラインショップで発売中です。

10年かけて本づくりについて考えてみた

オンラインショップ

＊本文・カバーイラスト　植田たてり
＊ブックデザイン　アルビレオ

ほしおさなえ

作家。1964年東京都生まれ。1995年「影をめくるとき」が群像新人文学賞小説部門優秀作に。おもな著作に「活版印刷三日月堂」「菓子屋横丁月光荘」「紙屋ふじさき記念館」「言葉の園のお菓子番」などの文庫シリーズ、『金継ぎの家』『東京のぼる坂くだる坂』『まぼろしを織る』、児童書『お父さんのバイオリン』、「ものだま探偵団」シリーズなど。

言《こと》葉《ば》の舟《ふね》

心《こころ》に響《ひび》く140字小説《じしょうせつ》の作《つく》り方《かた》

2024年4月30日 第1刷発行

著者 ほしおさなえ

発行人 茂木行雄

発行所 株式会社ホーム社
〒101-0051 東京都千代田区神田神保町3-29 共同ビル
電話 編集部 03-5211-2966

発売元 株式会社集英社
〒101-8050 東京都千代田区一ツ橋2-5-10
電話 販売部 03-3230-6393（書店専用）
読者係 03-3230-6080

印刷所 TOPPAN株式会社

製本所 ナショナル製本協同組合

本文組版 有限会社一企画

Kotoba no Fune

Printed in Japan ISBN 978-4-8342-5382-5 C0095

定価はカバーに表示してあります。